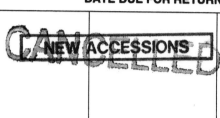

Marie Darrieussecq

Le Pays

Roman

P.O.L

33, rue Saint-André-des-Arts, Paris 6e

© P.O.L éditeur, 2005
ISBN : 2-84682-085-6
www.pol-editeur.fr

I

LE SOL

Je courais, ignorante de ce qui se passait. Je courais, *tam, tam, tam, tam,* lentement, à mon rythme. Mes chaussures amortissaient le choc. *Tam. Tam. Tam. Tam.* Ça montait dans mes jambes, mes genoux chauffaient, l'attache des muscles gonflait. Je m'étais mise à courir depuis que j'étais arrivée ici. Ignorante encore de ce qui se passait. J'enfilais mes chaussures et hop, je courais. J'avais le sentiment de faire quelque chose. Comme quand on fume, ou quand on écrit : le temps passe. On le sent physiquement s'écouler. On sent le flux.

Je courais de plus en plus longtemps. Ce n'était plus le corps de jeune fille allant par impulsions, enfantin. Je m'étais installée. Je possédais un corps, solide, en pleine santé. J'avais confiance, il avait porté un enfant, il avait tenu bon dans plusieurs occasions. Il supportait les variations, les chocs. Mes jambes découvraient la course. Elles étaient capables de ça : de tenir. Mon cœur, mes poumons, mes artères. Mes genoux, tendons, cartilages, la ponctuation des articulations. La plante des pieds, souple, sensible au relief, l'anticipant, sachant faire avec la route.

Peu à peu, en courant, je m'évaporais. Les coureurs le savent, au bout d'un moment on se détache de soi-même. Étape par étape, je ralliais des jalons, un arbre, un panneau, un champ. Au début, les premières minutes, mon corps n'était pas chaud. Cet exercice, il le reconnaissait, les jambes protestaient. La machine froide, c'est moi qui la poussais, c'est moi qui la forçais. Je me portais, j'étais lourde.

Puis un moteur prenait ma place. Un souffle, quelque chose d'aveugle et d'obstiné, qui poussait et avançait pour moi. Les jambes prenaient le bon mouvement, le rythme, comme si le reste de la vie n'avait été qu'une pause dans la course. Le macadam reculait sous ce qui avançait à ma place. Les bas-côtés, les fossés, les arbres et les collines se déplaçaient. Je jetais de fréquents coups d'œil sur mes pieds : *tam, tam, tam, tam.* Ils s'abaissaient et se relevaient, talon-pointe, cuir et caoutchouc. Me précédant de peu. Alors je pouvais me reposer, me reposer sur eux. Mes poumons s'activaient jusqu'au bout des bronchioles, se déployaient, *hah*, comme des parachutes. Se déployaient, *hah*, comme des anémones rouges. La brûlure en fond de gorge, à la base tendre du cou, une médaille chauffée, *hah*, la bouffée. J'étais suspendue. Tout ce qui courait en moi me tenait debout, me portait. Je devenais j/e. Avec le même soulagement que lorsqu'on glisse vers le sommeil, j/e basculais vers d'autres zones.

Alors quelqu'un se mettait à me suivre. Ses pas, au rythme des miens, claquaient et craquaient, comme des chevilles. Avec ce son mat et plat du macadam frappé. Puis ça changeait d'axe, se rapprochant par ma gauche ou ma droite, sur un rythme différent. Et ça venait à mes côtés. Et là, ça me tenait compagnie.

J/e courais. Au bonheur de penser, à l'extase de penser. J/'exerçais ma pensée avec une détente physique, une détente de gâchette – et tout s'ensuivait. J/e ne pensais à rien. J/'avais laissé Tiot et Diego derrière moi. J/'avais laissé la mai-

11

son et le pays et notre récent emménagement, les cartons et le bazar : derrière moi. Mon cerveau se reposait, associait des pensées d'abord en sarabande, puis en fil continu : une ligne de pensées, *tam, tam, tam, tam*, solitaire, indifférente. Des phrases venaient à ma rencontre, nuages de moucherons, ou libellules. Passé le pont, les phrases venaient à ma rencontre. Une heure, une heure droit devant. Dans le souffle. La route était libre, j/e courais. D'une certaine façon, j/'avais aussi laissé l'écriture. Ça s'écrivait tout seul. Les pas, ceux de mon corps et ceux qui m'accompagnaient, écrivaient pour moi. Mais : où s'inscrivait la phrase, sur quelle page laissait-elle sa trace ? La mémoire, parfois, en attrapait une, de phrase, mais de fait, que devenaient les phrases qui s'écrivaient alors ? Elles s'évaporaient au-dessus de ma tête.

J/e courais, devenue bulle de pensée. Un personnage de bandes dessinées surmonté par sa bulle. Le corps à son affaire, le cerveau dans son contentement d'organe, tout à son fonctionnement. J/e devenais la route, les arbres, le pays. S'absorber dans, absorber le paysage, c'était une partie de la pensée, une partie de l'écriture. Se remémorer le monde, une heure de rang, en courant. Le pays m'entourait, ce paysage familier qui devenait tous les paysages. J/'étais venue pour ça aussi, pour revoir comment le soleil, le soir, transformait les chênes en bouleaux, affinait leur tronc, les blanchissait ; comment la fraîcheur se propageait au ras du sol, comment le macadam se changeait en sous-bois, et comment ce pays du Sud devenait scandinave. Les troncs passaient à mes côtés, *flap flap flap flap*. Entre chaque tronc un bandeau de lumière. Et mon ombre, la preuve que j'étais là, tournait autour de moi, s'échappait dans les bois et revenait au sommet des collines.

J/e ne pensais à rien. J/e courais. Dans l'air l'humidité condensait. Dans le cerveau des masses roulaient, s'articulaient ou s'annulaient, se formaient et se déformaient. Les rouages des hanches, genoux, chevilles, fonctionnaient à plein, le piston des bras s'activait, l'air tapissait à grands jets le fond des poumons. Les fluides circulaient, décrassaient, défatiguaient. L'oxygène irradiait, le cerveau respirait. Agencements, milieux, structures. Le psychologique et l'étatique, le privé et le familial avaient disparu. Ce qui avançait sur la route c'étaient des sphères jouant les unes autour des autres, un équilibre de chutes et de rebonds, un ensemble de sauts. Ni moi ni autre ni personne.

Air, paysage, course. J/e ne pensais à rien et dans le rien perçaient les phrases, de plus en plus vite.

Vient un moment – les coureurs le savent – où on ne touche plus terre. On vole. Elle court. Ignorante encore de ce qui se passe. Bulle filant au-dessus du macadam. Séparée à hauteur des poumons et du cœur, à hauteur de machine. Scindée par la soufflerie, par le rougeoiement de l'air chauffé. Comme si un moine zen l'avait, d'un coup de sabre, envoyée dans des nuages asiatiques. Et les phrases venaient, moucherons, libellules, ou coups de sabre. Aussitôt dissoutes; ou demeurant, chansons, il était temps de rentrer au pays, *il était temps de rentrer au pays.*

Ce qui l'accompagnait la dépassait peu à peu. *Tam clac. Tam clac.* L'oxygène se raréfiait. Elle redescendait sur ses jambes. Quand la jointure se faisait, elle commençait à les sentir. En fin de course, en fin de journée, il pleuvait souvent. Le climat de ce pays est parfois presque équatorial. Et quelqu'un était devant elle maintenant, ouvrant la route et l'incitant, encore un peu, avant de disparaître. En général elle finissait en marchant. À l'entrée du village il y avait une fontaine, elle buvait. L'eau avait un goût de roche. Le sang battait très fort dans son cou. Le village rouge et blanc s'enfonçait dans l'ombre. Elle restait assise sur la margelle, dans le bruit de l'eau, seule. Aussi ignorante et aveugle que le sang qui bat.

14

Ma mère m'avait rappelé combien il est difficile de se meubler, au pays. Les artisans locaux ne connaissent que le rustique. Nous sommes allés, mon mari Tiot et moi, dans un Ikéa de la banlieue Sud, un mois avant notre départ. Les magasins Ikéa sont tous conçus, je crois, de la même façon : une grande maison qui aurait plusieurs salons, plusieurs cuisines et salles de bain, sans parler des chambres et des bureaux. Au rez-de-chaussée, une salle de jeu pour enfants, une quincaillerie-bazar, un rayon plantes vertes et une cafétéria suédoise. Nous avons laissé Tiot dans la piscine à balles sous la surveillance d'un auxiliaire, et nous sommes montés choisir une cuisine. Livraison dans un mois, toujours moins chère – m'avait assuré ma mère – que l'achat d'une vilaine cuisine au pays. Nous avions besoin d'un lit aussi, mais l'image de Tiot étouffé sous les balles, l'image de Tiot tout bleu au fond de la piscine, une balle dans le groin comme un goret – la limite d'âge, insistais-je auprès de mon mari, était-elle respectée, et le calibre des balles était-il pensé en toute sécurité ? Nous avons dévalé l'escalier, nous achèterions un matelas au

15

pays, ça devait bien se trouver, et mon mari construirait le châssis.

Le meilleur moment dans les magasins Ikéa c'est le café qu'accompagne son croustillant au chocolat, 0,80 euro le café et son croustillant. Tiot buvait le premier Coca-Cola de sa vie et mon mari feuilletait le catalogue. Nous étions fatigués et heureux, Tiot faisait joyeusement des bulles avec sa paille. Une sensation clapotante me prit à l'estomac, une sorte de vide, d'une espèce particulière, plein de salive. Les gâteaux n'étaient pas en cause, mon mari en avait même repris. Nous fîmes un tour par le bazar, c'était l'abondance, les couleurs, les matières plastiques. Tiot choisit une pince à spaghettis en forme de dinosaure. *Faites des enfants* intimaient les publicités suspendues sur nos têtes. Le pays, là-bas tout au bout, quand nous l'imaginions tous les trois silencieux au passage de la caisse, le pays nous faisait l'effet d'un magasin vide.

Revenant vers Paris avec nos babioles Ikéa, tournant momentanément le dos au pays puisque nous remontions vers le Nord, maintenant que la décision était prise mon mari et moi n'osions plus nous regarder : de peur que l'un de nous deux craque et supplie de rester à Paris.

J'ouvris la fenêtre et respirai dans les vapeurs d'essence, la nausée allait et venait comme une faim bizarre. Il suffirait pourtant de se laisser glisser au Sud en tenant l'Atlantique à sa droite, de dévaler la France comme on dévale une dune et de s'arrêter à l'ancienne frontière espagnole ; et d'attendre, là, que le pays se redéploie autour de nous. Les montagnes pousseraient, la mer se déroulerait, tout se remettrait d'aplomb.

« Ça va ? » demanda mon mari. « *Hala hula* » répondis-je, c'était une des rares expressions que je connaissais en vieille langue, couci couça, ma mère en usait souvent.

*

Il était temps de rentrer au pays. La nuit elle entendait la pluie. Un drap qu'on retirait du toit, *vriii*... comme ces maisons qu'on déshabille, meuble après meuble, pour les habiter de nouveau, pour en chasser spectres et poussière... Eux, à l'abri sous la couette, sous le plafond, la charpente, les tuiles... dans ce creux sous un toit, qu'on appelle une maison. Dans cette maison commençait le pays. Dans la pluie battante, *ratata*.

Sous les draps tendus dans la nuit, leur corps, cela arrivait, devenait spacieux, fluide... se diffusait, remplissait la chambre… Est-ce que faire l'amour était une rupture dans les heures ? Ou une continuité de la journée ? Son mari. Diego. Le prénom tant de fois prononcé. Est-ce qu'ils étaient les mêmes dans l'amour et hors de l'amour ? Dans la nuit, dans le jour, au pays et hors du pays ?

C'était son pays à elle et il était venu. Il l'avait suivie. Il l'avait même précédée. Il s'était chargé des papiers, du déménagement. Il supportait le climat, il trouvait tout joli. Humide, mais joli. Elle écoutait la pluie. La pluie emportait tout dans son grand sac.

Toutes les maisons ici se ressemblent. Tuiles. Volets rouges. Long couloir scindant la maison en deux lobes. Dans le cerveau de la maison. Dans le cerveau qui se souvient, qui pense. Rien, après leur corps et le mur. Un autre jardin, une autre maison, et ainsi de suite jusqu'à la mer. Rien sauf la pluie, le vide crépitant.

On n'entendait personne. Et d'ailleurs si, on entendait, des petits pas, des petits griffes : rongeurs, souris au grenier ? Creusant des nids dans la laine de verre.

Le pays croissait par les maisons. Le Plan d'Occupation des Sols lotissait les champs, lançait des rues sur des chemins. Des chênes survivaient çà et là, avec des bancs dessous, dans des allées qui menaient vers des golfs. Impasses, restes de forêt. On reboisait au loin les collines.

On fait l'amour pour toutes sortes de raisons. Une des raisons, par exemple, c'est pour avoir moins peur.

18

Embruns aux vitres, pollens, elle voyait, dans la journée aussi, plus de fantômes qu'à Paris. Par exemple, elle cousait le nom de son fils sur ses vêtements d'école (c'était bientôt la rentrée) : un cisaillement se produisait sur sa gauche. Elle était là, tête penchée : l'espace s'ouvrait en deux, un pan de lumière craquait. Était-ce parce qu'elle était plus désœuvrée qu'à Paris ? Face aux cartons à déballer, appuyée à la porte-fenêtre, elle contemplait les arbres. Dans ses yeux passaient des formes. Longues mains se balançant dans un plan flou. Ou alors, elle tenait Tiot sur ses genoux, ils regardaient la télévision. Le temps qu'elle pose un baiser dans ses cheveux, une ombre était venue, debout, indubitable. Même Diego les voyait, les entendait aussi.

Les poussières à la dérive sur la cornée glissent le long de l'œil. Bâtonnets, corpuscules. Sans cesse revenus, épousant le regard jusqu'à ce qu'on cligne ou qu'on frotte. *Phénomènes de Tyndal* s'appellent les nuées qui tournent dans les rayons de soleil. Troubles dans la composition de l'air. Petits désordres dans le monde connu. La nuit, souvent, des cloches, au point qu'elle ouvrait les volets et restait dehors pour entendre. Mais les fantômes ne reviennent pas : ils apparaissent et disparaissent. C'était elle qui revenait. Elle était rentrée au pays.

*

19

J'avais repoussé la visite à mon frère autant que j'avais pu. Nous étions dans les cartons, tout se précipitait, j'y suis allée.

Mon départ tenait de la désertion. Mais pourquoi aurais-je dû l'emmener ? Pourquoi serait-il rentré, lui, dans ce pays ? Mon projet était flou, pourtant j'étais déterminée. Mon projet ressemblait à ce que je vois des livres avant de les écrire : une forme colorée, un climat, une lumière, pour ainsi dire un lieu ; et des silhouettes debout, dansant d'un pied sur l'autre, dans un rythme qui les transformerait en phrases.

Nous étions partis chercher mon frère au Pérou quand j'avais six ans. Le seul voyage que j'aie jamais fait avec mes parents. De Lima je me rappelle beaucoup de choses : le petit tremblement de terre dans l'hôtel en béton gris ; les grands arbres dans la nuit (des caoutchoucs, que ma mère admirait parce qu'elle avait les mêmes en petit dans des pots) ; le Pacifique la nuit, qui bat très noir avec des lignes blanches, je suis au bord d'une falaise et je mange une glace bleue ; des enfants s'approchent de moi avec des cartes de baptême, la morve leur coule du nez. Des montagnes abruptes, jaunes et nues, et des amas de tôles dévalées.

Je ne me rappelle pas l'orphelinat, ni le retour

en avion avec Angelito. Ce sera Pablo, Angelito c'était trop pour mes parents. Il disait ses tout premiers mots, en quechua ou en espagnol. Le voilà à dire papa maman en français, et ma mère qui lui chantait des comptines en vieille langue pour ne rien arranger. Il était parfaitement sain d'esprit quand nous l'avons embarqué, j'en jurerais. Les enfants adoptés ne virent pas plus fous que les autres : j'incrimine le fait d'être adopté par mes parents. Ils auraient rendu fou un puîné biologique.

Alors je prends le métro, de bon matin, avant que la montée du soleil n'ait vidangé mon énergie. Et j'emmène Tiot – harassement des transports avec Tiot, mais la crèche est fermée au mois d'août et puis c'est sa famille après tout. Je me perds dans l'hôpital, c'est grand, je ne viens pas souvent. Tilleuls, arcades, je trouve une porte et une autre, je suis au bas d'un escalier, convaincre Tiot, plier la poussette, faire monter Tiot et la poussette

– Vous êtes sûre que l'enfant veut le voir ? demande l'interne en vérifiant mon identité.

– Ton-ton, dit Tiot à ma stupéfaction.

À mesure qu'on s'enfonce dans le couloir, l'air s'épaissit. Tisane, javel et tabac. Des chevrons de lumière filtrent des chambres entrouvertes.

21

Je ne sais jamais quel visage aura mon frère. J'oublie d'une fois sur l'autre, je ne m'habitue pas. Je crois revoir celui que je connais et quelqu'un d'autre est à sa place. Entre mon petit frère et le fou, le peu que je retiens de la schizophrénie – on me l'explique et je perds toute mémoire immédiate, les phrases battent mon cerveau en neige – ce que je retiens c'est qu'on est schizophrène sans que ça se voie, longtemps ; on se bricole un système, qui un jour vole en éclats.

Ils s'embrassent, l'oncle et le neveu. Tiot a sagement enlevé ses nu-pieds pour monter sur le lit. L'Indien, l'Inca, a une gueule encore plus bouffie que d'habitude. La chemise qui dépasse sous son pull, on dirait une veste de pyjama, et ça ne m'étonnerait pas qu'il ait gardé son pantalon de pyjama sous son jean. À moins qu'il ne soit devenu, réellement, si gros.

Du Pérou au Pays, tout est erratique et hasardeux dans la généalogie de Pablo, comme Christophe Colomb qui prit un continent pour un autre. Seule sa folie sans doute a une logique, un enchaînement de circonstances dont personne ne sait repérer les maillons. Mais le fou qui a pris sa place ne fait plus jamais référence à ses origines, ou bien d'une façon toute particulière, et je ne sais pas, pour mon frère, donner sens à ce qu'il dit, je n'ose pas interpréter dans le chaos.

*

C'est à cause du silence, dit Diego. On entend des choses qui n'existent pas. La mer, par exemple, l'entendaient-ils ? Ils habitaient à dix kilomètres, la côte était devenue inabordable. La pelleteuse arrivait, les arbres s'écartaient… La lame s'enfonçait où pointait le doigt de l'architecte. Le pré fut replié comme une carte routière. Pli sur pli d'herbe et d'humus, et dessous c'était cette argile mauve du pays ; et par-dessous encore c'était la pierre friable : le tout enfoui dans le pré, herbe, humus, racines et terre, ce sur quoi elle marchait sans y penser. Et par-dessous encore il y avait des voûtes et la pelleteuse s'arrêta. *Oh là là*, dit l'architecte. La lame s'était plantée dans les pierres taillées et avait soulevé la construction. À ciel ouvert maintenant des caves dans tout le pré. L'architecte prit le visage de Diego. Un labyrinthe à ciel ouvert, de quoi avait-on peur, à saute-minotaure ? Il fallait arrêter les fouilles et construire simplement la piscine.

Ce fut l'ordre qu'elle donna, sur le ton de la maîtresse de maison. Priverait-elle l'Histoire du pays de ses inestimables vestiges ? Les archéologues dépêchés sur place protestaient. La paperasse, l'arrêt des travaux, les tranchées dans le jardin… Pensait-elle à la nécropole, avec statues mortuaires, flèches, offrandes, elle qui voulait seulement sa piscine?

Elle se réveilla, quel rêve idiot. La marée de paperasse qu'avait soulevée leur émigration, d'un pays à l'autre, d'une nation à l'autre alors que soi-disant Maastricht, et quoi, la culpabilité de vouloir sa piscine? Elle s'enfouit contre Diego. La pluie avait repris, battante. Ce vieux film de Spielberg, les cadavres indiens montant du fond de la piscine bâtie sur un cimetière sioux – *hah!* D'une inspiration elle se hissa hors de l'image. Elle était chez elle. Diego était chez lui partout où il y avait la mer. Et Tiot, lui

Ah madame voilà du bon fromage
Voilà du bon fromage au lait
Il est du pays de celui qui l'a fait
Et celui qui l'a fait il est de mon village
Ah madame…

Insomnie. Combien peut valoir une piscine? Pour Diego, ce pays, c'était une évidence. À Paris, à cause de son métier, il n'était jamais là. La chaleur de Diego. Dans la maison des bras de Diego… Dormir. Une piscine pour nager, le matin, dans la douceur du pays. On pouvait même la couvrir. Assez. La pluie avait cessé. Ce scandale quand elle était petite, une dame déplorant le manque d'entretien de la piscine municipale, sa fille y était tombée enceinte...

Les petits poissons, dans l'eau
Nagent nagent nagent vite

Le monde était fait de corpuscules en liberté. Ils s'organisaient pour former les êtres et les choses, puis se défaisaient à nouveau. Le sperme roulait en grains microscopiques : piscine, draps, vêtements échangés... on naissait par un cheminement de hasard. Les grains étaient guidés par ces forces hors mémoire qui font pencher la tête des hirondelles à l'automne, ou attirent les limules hors de l'eau. Les spermatozoïdes prenaient la direction des vagins. La force butée de la nature, la communauté brute, la nuée du sans-moi... Les hirondelles sur les fils, à l'automne. Et les portées d'hirondelles à la maternelle, pour apprendre à écrire

pour apprendre qu'on a un pouce opposable et tenir un crayon... Assez. Molécules lâchées dans la nuit, où tout renvoie toujours à tout. Dormir. Quand sa grand-mère était morte elle avait voulu toucher… discrètement… au funérarium de la Maison des Morts… sa grand-mère maquillée et chic, qui dormait là devant les gens – sa pommette était dure et froide, un objet. Et sous terre, très vite… On peut dater les morts, le début de la mort en quelque sorte. Il y a des spécialistes, comment s'appellent… Selon le délai d'incubation des différentes espèces de mouches… ça éclôt, ça se met à grouiller, à voleter… Le corps devient un paysage avec sa faune, ses saisons, ses apparitions et disparitions… et puis séche-resse et poussière… De ces idées. Maison des Morts. Le sol craquelé de l'Australie. Le lit des rivières à sec se creusant d'hexagones. Dormir.

*

Pendant des années j'ai essayé d'écouter ce que dit mon frère. Il a *décompensé* lors d'un inci-dent à l'adolescence. Il avait disparu depuis plu-sieurs jours, et ce sont les flics qui l'ont retrouvé, un matin de juin, alors que mes parents retour-naient tout le pays. Il se promenait dans la forêt. À la question des flics sur son identité, mon frère, Pablo Rivière, fit cette réponse : « Je suis le fils du général de Gaulle. » Puis il se mit à hurler et à projeter autour de lui tout ce qu'il avait sous la

main, cailloux, branches, et jusqu'à ses chaussures.

Pendant dix ans, jusqu'à ce que je le fasse interner pour de bon, mes parents eurent pour activité principale de soigner et supporter mon frère, et de s'en protéger.

La folie de mon frère s'agence autour de lieux communs qui étaient étrangers à sa forme d'intelligence. Le nom du général de Gaulle n'était qu'un élément de notre mémoire collective avant qu'il ne se mette à le répéter toutes les quinze minutes. Je n'ai rien su lire, sur cette figure du Général, qui me parle de mon frère ou de la maladie de mon frère. De même, dans son délire, je n'ai rien su trouver qui évoque le Pérou. Mon frère est du Pérou comme Tintin est de Moulinsart, c'est un pays qui n'existe pas.

Nous connaissons tous son récit par cœur. Tiot aussi doit l'avoir dans l'oreille. Être fils de De Gaulle est son refrain. Toutes les quinze minutes sa parole s'interrompt, ou semble s'interrompre comme un disque rayé, en tout cas c'est d'un ton péremptoire que Pablo Rivière réinvente son ascendance. Le récit fossilisé de sa révélation, le même qu'il fit aux flics dans la forêt, ce récit prend trois minutes. Il m'est arrivé de le chronométrer, à l'époque où je traquais sens et indices. Je l'ai enregistré et transcrit, j'y ai cherché un code, j'ai inversé des lettres, je les ai remplacées par des chiffres, j'ai fait des anagrammes. Ça n'a rien donné.

Entre deux refrains, ce que dit mon frère est aussi inepte que se prétendre fils du Général. D'ailleurs il ne dit rien, il gueule, sa bouche est un déversoir, le volume sonore est terrible. Sa folie est pauvre et trouve à s'exprimer avec des moyens pauvres. Si mon frère avait mis sa finesse et son arrogance au service de sa folie – si sa folie avait recyclé ses talents – l'écouter aurait sans doute été moins ennuyeux. Le refrain, je le connais par cœur, mais les couplets, je ne parviens pas à les définir. De quoi parle-t-il? De gens que je ne connais pas. Dix années de séjours dans diverses institutions ont rempli sa mémoire de noms et d'anecdotes : tout ce qu'il savait auparavant – il connaissait trois langues, il voulait faire l'ENA – a été remplacé par une connaissance mondaine des institutions psychiatriques. Les neurones de mon petit frère s'emploient à mettre à jour des fiches de *who's who*. Qui couche avec qui, qui est inscrit aux différents traitements, qui est parti, qui revient, qui dit quoi de qui, comment gravitent les familles et le personnel soignant, voilà ce qui occupe le discours de mon frère.

La difficulté, en plus de l'ennui, c'est qu'un ragot d'il y a dix ans est aussi productif pour lui qu'un événement récent. Ce n'est pas qu'il mélange les temps, c'est qu'il les superpose ; lui ne s'y perd pas, mais la syntaxe qui est la sienne (qui est devenue la sienne) plie et replie le temps au point que tous les coins se touchent. Pour avoir écouté attentivement non ce qu'il dit, mais comment il le dit, je suis arrivée à la conclusion que mon frère parle en points lancés. Il avance dans son récit, est interrompu par sa déclaration – *je suis le fils de De Gaulle*, etc. – puis il revient un peu en arrière et reprend, comme on coud un ourlet. Il faufile de point en point, de temps en temps, de personne en personne et du je au il, une longue phrase rythmée par son refrain. Et contre toute attente, à la fin de ma visite il retrouve son point de départ : l'ourlet est achevé, et mon frère a le ton satisfait de l'orateur qui conclut. Il entame un nouveau cycle, alors je me lève. Nos entrevues sont bien réglées.

Quand j'étais petite, au pays, je me penchais dans la cage d'escalier du phare. Deux cents mètres d'un vertige hélicoïdal. Ce n'était pas celui du suicide, mais l'appel d'un autre univers, indolore et blanc, dans lequel la vitesse et la chute m'auraient fait passer : disparaître ailleurs...

Parfois je voudrais crier, pénétrer dans ce cerveau pour couvrir son bruit. Mais la porte s'ouvre, une aide-soignante lui apporte son plateau-repas. Mon frère est connu pour rester toujours dans sa chambre. Il aime recevoir. Je le fournis en gâteaux secs en plus de ses cartouches de cigarettes. Je le ferai livrer désormais.

La nourriture sur le plateau est beige et molle. Je n'arrive pas à partir. Je suis venue lui dire que je rentre au pays.

Il y a bien longtemps que mon frère ne m'a pas vue. Si sa personne à lui a disparu (à supposer qu'il s'agisse de ça) alors nous avons disparu aussi. Je me demande même s'il sait que Tiot existe, s'il a enregistré son surgissement, il y a un peu plus de deux ans. Mon fils, qui en ce moment partage sa purée avec lui. Mon fils, Tiot, qui s'assoit sur ses genoux, comme il le fait avec toute personne qui se livre à une activité intéressante : manger, regarder des photos, jouer sur un ordinateur. D'ailleurs il est midi : il a faim.

Les couverts sont en plastique. Les fenêtres sont blindées. Pas de rasoir, pas de ciseaux, pas d'appareils électriques. Les consignes de sécurité sont les mêmes qu'en avion.

Dans le délire de Pablo s'immisce un morceau du présent, comme un bout de nourriture entre deux dents. Il décachette une dose de laxatif et m'informe que son peu d'activité le constipe.

Monsieur et madame de Gaulle ont un fils.

Quand je sors de l'hôpital j'ai toujours envie d'appeler ma mère. Me blottir contre quelqu'un moi aussi, comme Tiot contre moi. Que cesse cette dépossession, épaisseur après épaisseur. Grâce aux médicaments, les injures et la violence ont été remplacées par des poncifs filiaux. Il dit : « maman a tellement de courage » et « je leur cause tellement de soucis ».

Je suis assise devant un lac limpide, vertical, derrière lequel il me suffirait de passer comme à travers un rideau : l'eau se refermerait dans mon dos. Le monde deviendrait paisible, immobile et reposant.

« Dérange pas moi ! »

crie Pablo quand l'aide soignante revient pour le plateau. Tiot cesse de partager sa nourriture. La créature qui a colonisé mon frère pourrait-elle se transmettre à mon fils ? Je touche du bois sous ma chaise et je prends mon souffle :

« Je suis venue te dire au revoir. Je rentre au pays. »

L'information semble se frayer un passage à travers les barrages de son cerveau. Pablo Rivière est de retour. Il me regarde. Pendant deux secondes, le fou obèse aux yeux éteints est remplacé par Pablito. L'index levé et l'œil pétillant, tous les traits du visage soulevés, pendant deux secondes un ange passe et c'est mon frère.

Il va me parler. Se moquer de moi, me renvoyer à mes incohérences, je ne parle même pas la langue.

Mais il est rattrapé par son refrain – depuis quinze minutes le général de Gaulle nous avait fichu la paix – et à la place je dois subir le récit de son engendrement tragique, un matin de juin, dans une forêt du pays.

*

Quand il fait froid le soir au zoo de Vincennes, on met les girafes à l'abri dans un grand aquarium de verre. Immobiles, massives, elles dorment debout. Si hautes et si raides, qu'on pourrait les croire rigides des sabots jusqu'à leur longue nuque. Un jour qu'elle les observait,

32

elles bougèrent toutes ensemble, comme un banc de poissons. Entre les murs de verre qu'à tout moment elles auraient dû heurter, c'était l'air qui les soulevait, annulait leur poids de pyramides. Elles chaviraient ensemble, adultes et girafons. Incompréhensibles étaient ces grands corps en apesanteur, leur grâce – et c'était déjà terminé, elles étaient redevenues solides, plantées et graves.

Diego dormait tourné vers elle, son sexe dans une de ces positions étranges que peut prendre une verge au repos. Les spermatozoïdes couraient sur le drap, petits chevaux invisibles… *tagada tagada*… Qu'est-ce qui la tenait là, dans ce lit, avec lui ? Ce n'était pas Tiot, ni cette nouvelle maison, ni la nuit ni le pays… ni le passé ni vraiment l'avenir… projets, vacances, sexe, conversation… malentendus… et à nouveau projets, sexe et conversation… Ils habitaient ensemble un point du temps ; une bulle tournoyant parmi le temps des autres. Parfois l'un d'eux partait vers les bords, mais il semblait que le mariage soit comme un élastique, qui les ramenait toujours. Un fluide invisible occupait l'espace entre eux. Quand elle était collée à lui, comme à ce moment-là dans la nuit, ça se comprimait et chauffait, de la physique pure et simple, de la mécanique des fluides. Et quand ils s'écartaient, parfois d'un bout à l'autre de la planète, ça se dilatait à l'extrême. Même à des milliers de kilomètres, au 46e étage d'un hôtel climatisé, assise à la baie vitrée à se demander quel temps il faisait, elle le sentait, ce fluide, elle était assise à l'un des bords extrêmes.

Diego alors était un prénom. Elle travaillait. Elle s'amusait. Elle était parfois dans les bras d'autres hommes. Mais le fluide était là, dilaté. Son bord extrême restait vivant, comme un bord de plage, bulles, sable, organismes. Faire l'amour avec d'autres allumait des lieux sur la carte, un espace morcelé, des souvenirs. Faire l'amour avec Diego était peut-être une contraction de l'espace, une géographie rassemblée sur un point.

De ses années de célibat elle se rappelait que l'espace était vide. Elle se déplaçait entre des molécules légères. Ça ne résistait pas. Ça s'effaçait. L'espace n'était pas quadrillé, ni, la plupart du temps, organisé. Parfois elle tombait dans des trous d'air et c'était très désagréable.

L'atmosphère du mariage, en revanche, était d'une texture épaissie. Le territoire conjugal se déployait en longitudes et latitudes. La Terre tournait, la capitale était Diego. Pour bien savoir où elle-même se situait, elle l'avait épousé, et quand l'adjointe au maire leur avait donné les papiers à signer, il lui avait semblé lire le « vous êtes ici » des plans de ville.

*

34

Je faisais des cartons de livres, c'était plutôt de mon ressort les livres, à 200 grammes le poche et 500 grammes le pavé on atteignait vite la tonne – bref : trier, donner, jeter. Il s'agissait d'accélérer le rythme, nous déménagions dans dix jours. Diego et Tiot mangeaient un bout dans la cuisine – moi ça ne passait pas. Choisir dans les milliers de livres était une crucifixion. Tiot avait pris quelques albums et mon mari sauvé ses Conrad et Carver, mon mari aime bien les histoires d'hommes ; et moi je m'attaquais nauséeuse à la montagne. Dix jours pour faire les A et les B, je n'en étais qu'à C et il restait dix jours. Canetti, *Masse et Puissance*, le lion rugit et l'antilope détale, l'ordre de fuir est donc la première injonction. Alors que, je ne sais pas, l'ordre de nourrir ? L'hirondelle enfournant des vers dans le bec de l'oisillon ? Les passereaux s'épuisant pour de gros bébés coucous ?

– Savais-tu – criai-je à l'intention de mon mari – que l'empereur Shaka Zulu a refusé de procréer de peur de se voir détrôner ?

– Qui ? (cliqueta mon mari qui vidait le lave-vaisselle).

– Il avait mille deux cents concubines, qu'il appelait ses sœurs, et qui étaient mises à mort si elles tombaient enceintes.

35

– La contraception est une affaire trop sérieuse pour être laissée aux femmes (cliqueta mon mari).

Il fallait avancer, je laissai Canetti, pris un Cendrars et un Crébillon, tout Carroll, tout Céline... Les autres finiraient on ne sait où, garde-meubles ou caves d'amis. Je portai au tri à papier les Camus qui me suivaient depuis vingt ans.

Dehors – local des poubelles – il y avait le ciel de Paris qui est un des plus beaux du monde, le ciel d'Île-de-France qui passe sur Paris et prend la ville de vitesse. Bleu virant bleu nuit par grands traits de couleur. Vent d'altitude, nimbus se nuançant de rose et sirius effilochés très haut, traînes d'avion orange et or. Lumière du soir filant Sud-Ouest vers le méandre de la Seine, les quartiers verts et puis la plaine, la France et le pays et la mer. Une chanson dans la tête

Clouds are sliding fast these days

Du fond de la cour se laisser tomber dans le bleu, tout le ciel pour moi dans le triangle entre les toits.

*

Elle était réveillée maintenant. Peut-être venait-elle de se réveiller ; une traversée intacte du sommeil, comme si elle sortait sèche d'un lac. Dans cette maison, dans cette nouvelle maison. Pluie conjugale sur le toit. Réveillée, ou du moins éveillée à la façon obtuse des hirondelles, qui attendent quelque chose, un événement, un retour. Sur le qui-vive de l'insomnie. Ignorante encore de ce qui se passait. Tête penchée sur l'oreiller, dans le noir complet de cette maison. À Paris, ça clignotait, rien n'empêchait la ville de passer. Les ambulances jetaient du bleu jusque sur l'oreiller. Ici, tête dans le noir, ventre contre Diego, mais décollant, peu à peu aspirée par le toit...

sans plus savoir où était la porte, ni la fenêtre... dans cette vigilance brute de l'insomnie... Les hirondelles savent où elles sont même dans le vent, même dans le noir... longitude et latitude, *bip* constant de leur position dans leur petite tête... Je suis ici. Diego est là. Tiot n'est pas loin. Sauf quand elle écrivait, quand elle s'absentait, quand tout s'absentait y compris la sensation géographique, pour revenir en phrases...

Migrations. *Une hirondelle est un oiseau qui se gratte d'un seul côté.*

Passereau, c'est le nom, il lui semblait que c'était bien le nom des oiseaux sédentaires. Pourtant dans *passereau* on entend *passer* – à moins qu'il ne s'agisse de passer l'hiver ?

37

Il existait peut-être une zone cervicale de l'insomnie, comme il y en a une de la parole, de la mémoire, de l'écriture. Une zone qui chauffe et maintient le dormeur à la surface, comme une bulle empêche un sac de sombrer. Une zone en rouge sur une carte du cerveau. Si ce lotissement était vu par infrarouges, repérerait-on la chaleur des couples endormis ? Et ceux qui font l'amour, écarlates ? Tiot, ces temps-ci, demandait la couleur des choses. De quelle couleur est-on quand on mange ? De quelle couleur est le bus quand il va vite, de quelle couleur est le sifflement du train ? Rien ne prouvait qu'il ne voyait pas ces couleurs. Le mot seul manquait peut-être. La jouissance est rouge, les hirondelles sont noires et parfois bleues. Le train, quand il va vite, devient bleu pâle. Le vent du Sud est ocre. Et l'écriture, de quelle couleur est-elle, la pensée sans sujet de l'écriture ?

Mon enfant dort, les yeux ouverts
Comme les lièvres...

Elle tendait l'oreille... un bruit, peut-être ?... Elle avait la nausée à nouveau, debout. Le contact étranger du dallage sous les pieds. Le couloir oscillait lentement. Elle ne connaissait pas encore l'emplacement des interrupteurs, ses doigts glissaient le long des murs... Elle

38

était un minuscule point dans un vertige de maison, dans une rue d'un lotissement d'un pays, elle était debout sur la Terre et ça tournait.

*

Comme je venais de lancer une machine de blanc, assise devant le hublot avec Tiot sur les genoux, tous deux intéressés comme toujours par le spectacle – une ligne droite, à peine ondulée, monte en transparence dans le tambour, et comme par un mouvement de hanche, *hop*, la masse du linge est jetée de côté, une fois deux fois, ça se met à tourner, le linge se broie, s'emmêle, bruits de tuyauterie pleine et vide – comme elle venait de lancer une machine de blanc la nausée se coula en elle. « Quelle est la date de vos dernières règles ? » demandent les médecins, comme si les femmes mémorisaient d'office la routine de leur corps, comptaient en cycles et hurlaient à la Lune au lieu de vivre un temps diurne, celui des agendas, des empereurs romains et du temps de travail – bref, elle n'en savait rien. Il allait peut-être falloir qu'elle s'en préoccupe.

*

Tiot dort, Diego dort. Elle s'habille. La douceur du jardin est étrange, comme une crème dans laquelle on remue. Elle se souvient du climat ici, on partait à l'école en doudoune, on rentrait en tee-shirt – leur mère les couvrait, il faut dire, comme s'ils avaient dû s'envoler au moindre vent.

La pelouse est piquée de grains fluorescents. Dans sa main, ils s'éteignent, ils ne pèsent rien. Puis ils se rallument. Fermer la main, jouer, la rouvrir. La voir s'emplir d'un bleu liquide. Des lucioles partout, une fête de lucioles sous les arbres fruitiers. La chair des pommes est tiède aussi, surprenante. Elle mord dans le jardin même, juteux et acide dans l'obscurité. Ses dents détachent un morceau du monde. Accessible et étrange. Manger un morceau de l'arbre, du sol, manger la Lune comme dans les livres de Tiot

Everybody knows the moon is made of cheese

Le jardin est plus vaste que dans la journée. *Tu ne regardes pas, tu ne regardes pas suffisamment encore.* Et pourtant elle regardait tous les jours, tous les jours et parfois les nuits. Et pourtant le monde était là. Avec des constantes et des fidélités, l'air en haut et l'herbe en bas, les pommes sur les pommiers et les lucioles à luire. La piscine du voisin clapotait. Les grenouilles croassaient. Le faisceau du phare de B.Nord glissait sur le cadran du ciel. Vers l'Est, une lueur diurne. Au Sud, sur la montagne, les lumières de l'antenne de Radio Télévision. Et à l'Ouest, paisible et bleutée, la centrale de C.Ouest, phosphorant doucement dans la brume.

Elle avait toujours vécu ici. Elle était d'ici, sous ce ciel. Voie lactée aussi blanche qu'en mer. Planètes glacées, étoiles en fusion, trous noirs et quasars. Des façons d'être vide plus vides que notre idée du vide. Il n'y avait rien à attraper au ciel. Il y avait assez de lucioles et de grenouilles au sol pour qu'au ciel, repos.

Il s'orangeait sur l'Est. Les cratères de la Lune pâlissaient : un sol, des impacts, les empreintes d'Armstrong. Des craquements se faisaient entendre. L'espace était fait de feuilles disjointes, qui se pliaient avec des froissements. Il aurait fallu une oreille autrement faite que la sienne, l'oreille des chats, des ours ou des extraterrestres, pour bien les appréhender. Son monde à elle n'avait que trois dimensions, et elle n'en connaissait que des bribes.

*

Dans l'avion qui nous emmène au pays, je regarde par le hublot. Tiot s'est endormi sur mes genoux. Diego lit le journal. Les cartons nous suivent, le camion du déménagement doit rouler, là-dessous, entre les carrés et les rectangles du

41

sol français. C'est notre première heure de calme depuis des jours. Une aire de repos en l'air, dans les nuages. Je bois un gobelet de café, le décollage m'a donné le mal de mer. Le hublot blanc devient vaporeux... un peu de bleu transparaît... *hop*, par-dessus les nuages.

Grand soleil. Le paysage des riches, des hôtesses de l'air et des alpinistes. L'ombre de l'avion plie sur les cumulus. Un avion mou. Un avion molletonné. Je somnole. Je suis bien. J/e me dissocie lentement. Quelqu'un est à côté de moi, en plus de Tiot et mon mari ; quelqu'un se penche sur mon fauteuil en plus de l'hôtesse, déambule dans l'avion en plus des passagers... J/e me diffuse... J/e me regarde assise dans l'avion, j/e me regarde à travers le hublot. Le temps se dédouble. Il y a le curseur sur lequel l'avion avance ; et le présent actif dans mes veines, dans mon souffle et dans mes neurones. Si j/e m'endors, le présent va s'effondrer, et l'avion va tomber. J/e me concentre pour que l'avion reste en l'air. Tout se détermine, l'avant et l'après, autour de ce point...

Derrière chez moi y a un étang
Trois beaux canards y vont baignant...

Ils rentraient au pays pour échapper aux squares, à la torpeur des squares et des jardins publics. Ils avaient adoré Paris, ils étaient *de Paris* comme sont new-yorkais et londoniens et sans doute shanghaiens ceux qui se sont un jour installés à New York, Londres et Shanghai… Mais le square était une épreuve désormais au-dessus de leurs forces. Elle sur son banc, Tiot sur son toboggan, le soleil urbain sur leur tête et le temps pris dans les tas de feuilles et les spirales des pigeons… alors que la mer battait à une heure d'avion, battait au bord du pays… Elle se disait : quand je serai au pays je me souviendrai de ces pauses comme autant de vignettes de la dépression.

Pourtant en ce lundi de fin d'août, comme les voitures rentraient en masse dans Paris et qu'ils longeaient le périphérique en direction du square, malgré la pollution, malgré le bruit et ce soleil idiot, de fait elle était plutôt contente. Tiot pédalait sur son tricycle et elle, elle tenait le tricycle par cette invention prodigieuse qu'est la canne à tricycle – ses parents à elle s'étaient cassé les reins toute son enfance à agripper sa selle alors qu'il suffisait, œuf de Colomb, d'y fixer une canne – bref : elle était plutôt contente, elle avait lutté contre le rien, elle avait vaincu la pente d'inertie, elle avait triomphé du ciel vide et du soleil stupide, elle avait héroïquement réussi à accompagner Tiot jusqu'au square du Serment-de-Koufra, qui est le square (qui était le

44

square) le plus proche de chez eux. Ils partaient le lendemain.

Dans les squares on voit parfois le sol : un petit triangle sous la racine d'un orme. C'est le sol de Paris. Calcaire et silice ; humus de marronnier, fiente, carburants : ce qui s'use et ce qui pousse, ce qui fait la poussière ici comme ailleurs, graines et pollen, météores, squames, cendre… Un sol, pas une terre ; ou alors de la terre aussi battue et rebattue qu'un court de tennis ou un hall de gare. Tellement battue et rebattue qu'on pouvait la dire vierge, de la terre de grande ville. Pousse qui s'y mette. Canettes et noyaux, grains et mégots. Gallo-Romains, Mérovingiens et Capétiens empilés par-dessous. Un carottage de siècles.

Sous la roche de Manhattan il y a du temps indien suivi de deux petits siècles de bâtiments en dur. La première fois qu'elle y a mis les pieds elle était de New York aussi. Et de la même façon, tout de suite, elle était de Londres et de Hong Kong. Shanghai elle ne connaît pas.

Au square du Serment de Koufra elle se disait que sous l'aire de jeu, on trouverait ce sol vierge duquel dépassent, vers l'Ouest, la tour Eiffel, et vers l'Est, seins en avant, la République et la Nation. Restait-il dans cette ville un centimètre carré non entrepris par l'humain ? Et en France, trouvait-on un seul coin doté d'une sorte d'esprit des origines ? Un coin où soufflait la forêt, la prairie, la rivière ? Alors qu'il suffisait de s'éloigner de la route pour trouver, en Patagonie, de la terre jamais foulée. Ou par un Indien dont notre Histoire ne sait rien. En Amérique du Nord aussi, c'est tellement grand. « Toboggan » est un mot indien : il reste ça, en Europe, quelques mots en mocassins.

Pourtant, vue de la Hollande ou du Dorset, la France, ce sont les grands espaces. On la survole, peu de maisons. Une géométrie verte et jaune. Des arrondis de fleuves. De grands domaines, des châteaux.

Ils s'étaient rapprochés du centre autant qu'ils avaient pu. La porte d'Orléans était devenue leur pays, pas trop éloigné du littoral chic qu'est la Seine. En un jet de métro elle était au centre. Il n'y a que les provinciales comme elle pour savoir où est le centre de Paris. Le centre de Paris c'est la tour Eiffel. Le vide que ses quatre pattes découpent, c'est de là que tout part. Les centaines de langues sous la Babel de métal. Le calcaire de Paris sous les millions de pas. Il ne s'y passe rien. Files d'attente, barbe à papa, grooms et badauds. Épisodiquement on repeint ou on reprend l'éclairage. On livre les restaurants. On s'embrasse sur les bancs, on laisse le temps s'enfoncer dans le sol.

Elle y allait avec Tiot. Ils montaient d'un seul trait. Ils avaient le vertige. En bas, ils voyaient la mer. *Faudrait pas qu'un avion nous percute.* Le centre du monde, si le monde est un disque en mouvement dont le centre est partout et la périphérie nulle part. Mais le monde est une sphère dont le centre est à pic sous l'écorce, loin sous le gravier jaune et les squares.

*

L'hôtesse distribue des chocolats de la Compagnie Aérienne Yuoanguie. Tiot est content. Il dit : « c'est beau » en montrant son bonbon. C'est la première fois qu'il fait une phrase. L'avion a entamé sa descente. Mon mari et moi nous buvons du champagne, nous célébrons. Dehors tout est bleu : dessus dessous, un ciel qui se dilue jusqu'à un blanc humide : le climat d'ici. Et une mer d'étain, avec de larges taches noires : les fosses, pleines de bêtes inconnues au-dessus desquelles l'avion file. Sur les écrans de nos sièges file aussi l'avion en images, le ministère du Tourisme en a fait le générique d'une publicité. Tous les petits pays n'ont pas leur flotte à eux. Sur fond d'hymne national en vieille langue, nous trinquons, mon mari et moi. Quand j'étais petite cet hymne me faisait peur, il était chanté par des gens au poing levé ; maintenant il est gentiment ridicule, comme tous les hymnes des pays en paix, *tsim poum poum*... Pour ce que j'en sais, une ode à la mer, aux frères partis au loin et aux fils qui reviendront. Suivent des images de jeux de pelote yuoanguie, et nos villages, et nos spécialités pâtissières.

Des formes souples flottent au dessus de l'horizon ; un collier de perles molles que le ciel détache à leur base. « C'est beau » répète Tiot. Il parle peut-être des mirages. Il essaie sa phrase au monde. Il tente une formule et écoute si ça résonne. « Oui », je dis, « c'est beau ». Un mot *cébo* qui dirait la beauté comme *avion* dit avion et *maman* désigne cette femme qui lui répond. Éléments du monde dotés d'étiquettes, mais qui ne se combinent pas encore dans sa bouche.

Mon mari tend le doigt vers le hublot. Les mirages se mettent à goutter ; ils touchent l'horizon et se fondent à la terre : le rivage du pays. La familiarité de son tracé me prend par surprise. Je reconnais la chaîne de montagnes, le triangle, la couronne, les canines. C'est peut-être ça, être de quelque part. Un sentiment géographique, reconnaître une terre comme on reconnaît un visage.

Adolescente, je me disais que revenir ici serait un enterrement. Que je reconnaîtrais ce pays comme un corps à la morgue. Maintenant il me semble que c'est l'inverse : pour assouvir le désir géographique je ne peux qu'habiter, habiter ici sans relâche. Diego, il a fallu que je l'épouse.

À Paris je pensais rarement au pays. À Paris, quant au pays, j'avais des ratés de la fonction mémoire ; des courts-circuits, des hoquets. Je ne suis même pas sûre d'aimer le pays. Certes il y a sa beauté, le bon air, la mer. Mais la façon dont je m'en souviens est impersonnelle, comme une mémoire automatique. Une touche enfoncée à intervalles aléatoires. Je vois des lieux : la côte en courbe après l'arrêt de bus ; un rond-point avec des palmiers maigres ; la cabine téléphonique à l'entrée du village ; le parking du lycée. J'écris, je lis, je me douche, j'aide Tiot à monter un escalier... et une image sans relation passe dans mon cortex. Des endroits immobiles, vidés de leurs habitants. Le point de vue est aussi général que celui du film publicitaire, sauf qu'il ne s'agit pas de lieux touristiques. Ce sont des lieux dépourvus de tout pittoresque, ils pourraient être n'importe où, mais c'est chez moi.

« Moi aussi je vois ce genre d'endroits », me dit Diego. Mon mari est né à Comodoro Rivadavia, comme non-lieu c'est imbattable. En 1898 ses arrière-grands-parents sont partis en éclaireurs pour le projet Herzl en Patagonie. Ils cherchaient une alternative à la Palestine : un pays vide. Et ils se sont installés là-bas. Plus tard les Anglais ont proposé les hauts plateaux déserts de l'Ouganda. Diego aurait pu naître là aussi.

Qu'est-ce que c'est, un paysage d'enfance ? Des visages, des images, des spectres ? Un parfum, une musique ? Quel sera le paysage de Tiot ? Cette intimité-là, du cerveau, je l'ai avec Diego seulement, et dans une certaine mesure seulement. Je voulais un paysage pour Tiot, est-ce que la porte d'Orléans est un paysage ? Je voulais proposer un pays à Tiot, rentrer pour lui aussi.

La déréliction douce de la porte d'Orléans. Le sentiment de la périphérie. Il me semblait que chaque immeuble, chaque bout de rue, se perdait dans des sables. De même qu'une ville de province ne deviendra jamais une capitale, dût cette province se transformer en pays, la densité de mercure de Paris ne se déplace pas. Je ne voulais pas que dans ses flashes géographiques Tiot voie le square du Serment-de-Koufra. Je ne voulais pas que ce soit son paysage, le square du Serment-de-Koufra.

*

Chant nocturne des grenouilles dans la piscine du voisin. Elle franchit la haie. Le jardin du voisin est semblable au leur et très différent ; comme lorsqu'elle montait au troisième étage, à Paris, alors qu'elle vivait au second. Un voyage exotique dans un monde familier. Une île tropicale, lointaine, mais où l'on parle français…

L'aube pointe. Les phrases remuent dans leur tanière. Une petite colonie de grenouilles, cinq ou six. Goût métallique de l'air mouillé. Quand son ombre les touche elles plongent, losanges noirs ouverts-fermés. Une piscine. Tiot apprendrait à nager. Un système de nettoyage automatique, combien ça peut coûter ? Par ces climats doux et humides, il suffit de dix jours, maison à l'abandon, pour que les jardins et piscines retournent à l'état de pampa et de mares, et que les nénuphars poussent sur l'eau noircie.

Toujours cette nausée qui va et vient doucement. Elle repasse la haie. L'île de Nauru est un État indépendant d'une surface de 21 km². Prenez un planisphère centré sur l'Europe, suivez la ligne d'équateur, Nauru est au bout à droite, où le papier s'arrête. Longtemps Nauru est resté le deuxième pays le plus riche au monde, grâce à ses mines de phosphate. Aujourd'hui les habitants n'ont plus ni eau ni électricité. Ils se sont réfugiés sur les côtes. 80 % du petit territoire a été rendu inhabitable par l'extension des mines. Le sol s'enfonce sous leurs pieds. La mer s'infiltre par les trous, sapant le peu qui reste d'île. On parle de Nauru parce les Australiens y parquent leurs sans-papiers, qui préfèrent se coudre la bouche plutôt que sombrer là.

La villa était dotée du câble et recevait les infos en français. Elle chercha la zappette mais ne la trouva pas. Leur télé était neuve, magnifiquement plate, aucun bouton n'en dépassait.

*

Dans le train qui m'emmenait à B.Sud (j'avais laissé la voiture à Diego), dans le train malcommode qui m'emmenait à B.Sud j'avais tellement la nausée que je ne tenais pas en place. J'allais de siège en siège comme les enfants, j'ouvrais les fenêtres, j'essayais de fixer un point du paysage. La Glyphe est la plus haute montagne du pays, 900 mètres. J'avais appris ça à l'école en même temps que la hauteur du mont Blanc et celle de l'Everest, pour en conclure la petitesse du pays, la moyenneté de la France, et l'étendue relative du monde.

Si la Terre était une orange, nous avait dit la maîtresse, alors l'Everest ne serait pas plus haut que les petits granulés de l'écorce.

Vue du lotissement, la Glyphe était triangulaire, mais quand on s'en approchait elle tournait sur elle-même et devenait une vraie montagne, rocheuse, abrupte, sérieuse pour ainsi dire : vue du Sud une vraie montagne. Je ne la quittais pas des yeux.

Le train peinait dans le petit col. À droite il y avait l'autoroute, et dans les creux, la mer. Ici c'était encore le Sud vert, avant le Sud jaune de l'Espagne. Les fougères, les eucalyptus, les sapins du reboisement, et l'herbe fluorescente, grasse de pluie. Le paysage, le paysage... J'évitais de me disperser. Au sommet de la Glyphe on distinguait les buvettes. Je fixais les buvettes et l'émetteur de télévision. Au petit-déjeuner je n'avais rien pu avaler. Les céréales de Tiot, molles dans le lait... je me penchai à la fenêtre, tête dans la montagne. D'inévitables vaches me regardaient. Dans le boyau du train un marmot de l'âge de Tiot faisait des galipettes, il oscillait au bord de mon champ de vision. Sa mère lui parlait en vieille langue et il répondait, l'animal, petit comme il était ce jargon lui sortait de la bouche aussi naturellement que du lait au pis d'une vache, aussi naturellement que le chinois, l'urdu ou le bambara de la bouche des petits Parisiens qui parlent chinois, urdu ou bambara. Pour moi j'étais au bord de vomir langue et boyaux.

En gare de B.Sud je reconnus mon comité d'accueil, deux baraqués et une maigrichonne, je les feintai et courus aux toilettes. Rien ne vint, de la salive, aucun soulagement. Puisque j'en étais là je pouvais bien me glisser jusqu'à la croix verte au fond du hall. La pharmacienne ne voulut me servir qu'en vieille langue, au Sud ils sont encore plus pénibles qu'au Nord. Je montrai mon ventre, je fis le geste de vomir, je ne voulais pas de Maalox, je ne voulais pas de Digédryl, elle était bouchée ou quoi, je voulais un test de grossesse, *un test de embarazo, por favor.* Mon achat en poche la nausée diminua.

*

Elle monte à la Glyphe. Le jour se lève. Le ciel est un dégradé de verts, on ne sait pas encore le temps qu'il fera. Ça change vite ici, une seconde et tout est transformé. C'est un climat d'île, pourtant le pays n'est pas une île. C'est une sorte de pièce de puzzle, de celles en angle avec une langue. Elle s'imbrique entre la France et l'Espagne, avec une façade océanique, une chaîne de montagnes, de la plaine agricole et des zones indus-

trielles, et plusieurs pôles urbains ; combinaison satis-
faisante pour un pays européen de petite envergure.

Diego amènera Tiot à l'école. Elle a laissé un mot sur
la table. Elle veut grimper jusqu'au sommet : c'est un bon
redémarrage dans le pays, *redébut* est le mot qui lui vient.
Un *bonjour* qui attend un *bienvenue*. Elle ne sait plus très
bien comment on fait, avec ce pays. Où et comment on
pose les pieds, comment on regarde, comment on salue.
Comment on parle, bien qu'en version française elle
retrouve l'accent dans sa bouche, une râpe en arrière du
palais, toutes voyelles ouvertes. Ce qui se dit et ce qui ne
se dit pas, les sujets qu'on aborde et ceux qu'on tait, ça,
c'est comme le ski, ça reviendra tout seul.

Le sentier se divise régulièrement – étroit : brebis ;
large : êtres humains. Roches mauves. Peu d'arbres, brûlés ou broutés ; fougères encore vertes, genêts, thuyas.
Végétation à hauteur de hanche, et quelques grands
chênes, écorce d'éléphant, petites feuilles dentelées. Ils
surgissent, isolés. Elle évite l'ombre des branches – des
restes de nuit, ça ne lui plaît pas. Les esprits femelles à
pattes de canard sont tapis dans les creux. Blocs de granit accroupis. Poneys sauvages endormis sous la lumière.
Tout scintille. Le soleil fait des halos blancs dans la
brume. À mi-chemin, des gémissements. De plus en plus
humains comme elle monte. Elle identifie deux arbres
qui se frottent, un eucalyptus et un châtaignier. Le petit,

souple, a poussé contre le gros et grince sur son écorce. L'air est pourtant immobile, la brume matinale tient tout.

Sous la mer on trouve des coraux qui ressemblent à des algues, mais ils bougent, autonomes, sans l'aide du courant.

Elle grimpe vite, par la pente la plus raide. Le brouillard monte, il fait frais, la mer doit être plus chaude que l'air. Septembre. Ce matin c'est l'automne, cet après-midi ce sera encore l'été. Dans les derniers mètres du sentier, la couche de brume autour d'elle devient très mince. Elle traverse un mur de soleil : grand matin bleu. Elle ôte sa polaire, le froid se pose sur son cou en sueur. En bas, sous les nuages, Diego emmène Tiot à l'école.

Les buvettes sont fermées mais on peut boire à une source. Dalles violettes devenues noires sous l'eau. L'herbe couchée craque encore de givre. Sa respiration s'apaise. Le centre de son corps redescend vers son ventre. Tout ce qui était vertical est devenu horizontal. La brume fait un lac pâle, les arbres vus d'en haut font des champs de feuilles vertes. À Paris les marronniers tournaient déjà à l'orange… Le sommet de la tour Eiffel émergeant de la brume… *Reste ici et maintenant.* Le *moi* est un vaisseau spatial, capable de relier des univers, de rabattre les unes sur les autres des galaxies lointaines… On peut aussi se promener à pied et le laisser au garage.

56

La côte se devine, les stations balnéaires, les toits des casinos… B. Sud, le Musée national des Arts et de la Culture, vitres qui brillent… embouchures argentées… et l'arrière-pays, serré entre fleuves et collines. Océan à l'Ouest, forêt au Nord, montagnes à l'Est et Sud jaune. Une très petite Chine. Une grande île Lofoten.

Elle sent à nouveau la présence, quelqu'un debout à ses côtés. Une verticale fugace… comme un pinceau dans le verre d'eau du paysage. Si c'est un fantôme, il est de l'espèce furtive : un léger moment de fêlure… un bref accès sur l'envers des choses… il lui semble voir l'air se rider…

Elle redescend. Le vent du Sud commence à souffler. C'est une autre montagne. Inverse. Maintenant elle connaît le chemin et va d'un bon pas joyeux. Rien n'est caché sous les rochers. Le soleil éclate. Mouches. Les quelques arbres bougent au vent. Vert noir de fin d'été. Le revers pâle des feuilles apparaît par éclairs. Un arbre perd un pollen tardif, de fins copeaux orange en forme de papillons. À chaque reprise du vent, un grand vol d'insectes. Elle en retrouvera dans ses cheveux, dans ses vêtements, et des jours après, dans toutes les pièces de la villa.

*

Dans le hall de la gare le jeune cameraman faisait des effets de zoom trop près de mon visage, je devais être verte, la journaliste de la télévision locale m'interrogeait : en tant qu'écrivain yuoangui de langue française, que pensais-je de l'avenir du pays ? La nausée clapotait sous ma glotte. Je baragouinai lâchement les politesses yuoanguies que je connais. Le jeune zoomeur filmait l'enfant prodigue, la fugitive qui renoue avec ses racines, la traîtresse qui rapplique après la bataille. Je fis des photos au bras de l'organisateur du colloque, un ami d'enfance, Aîné. À l'arrière de sa voiture j'ouvris la fenêtre. Bon sang, si j'étais enceinte ça datait de quand ? J'avais le sentiment, ces derniers temps, de ne croiser mon mari qu'entre deux portes pour ne régler que des problèmes d'intendance et de cartons. Quant aux autres amours, elles me compliquaient trop la vie et j'y avais mis fin depuis plus longtemps encore.

Aîné manifestait sa joie de me revoir à la façon yuoanguie, hochant gravement la tête dans le rétroviseur, ce qui m'autorisait à rester silencieuse. Le cameraman était tourné vers moi et ma nausée, l'idée était de me filmer tout au long de la journée. La journaliste, à mes côtés, m'était plutôt sympathique parce qu'elle regardait le paysage ;

soit qu'elle ait la délicatesse rare de me laisser prendre mes marques, soit qu'après quarante ans au pays elle soit encore saisie par sa beauté, comme on voit des Parisiens s'arrêter au milieu des ponts.

La mer battait au pied de la corniche, les façades du MNAC miroitaient sur leur promontoire : j'allais vomir. Dans les toilettes de l'Université de B.Sud, je déballai le test et pissai sur l'embout. Il fallait attendre trois minutes. La notice trilingue suggérait de compter jusqu'à 180. Je fermai les yeux mais déjà une mince croix bleue m'avait semblé apparaître.

Je tentai de ne penser à rien. Penser qu'on ne pense à rien. Un crocodile, deux crocodiles... le fantôme de croix bleue flottait sur ma rétine. Le drapeau de la Finlande, ou le logo d'une marque de cosmétiques... Tiot dans son bateau gonflable lors de précédentes vacances au pays... mon ventre quand j'étais enceinte, un ballon sous le maillot de bain... trente-deux crocodiles, trente-trois Mississippi...

Mon prof de yoga me murmurait – tous deux en lotus sur mon tapis à Paris – « aucune pensée ne doit vous retenir, appuyez-vous sur votre souffle ». Je pris une longue respiration abdominale. Ma situation sur la planète m'échappait.

« Où suis-je ? » : le lieu commun des évanouis. On a un corps et il faut bien le poser quelque part, et s'en extraire, par moments. Je soufflai en creusant le ventre... devenir un point, oui, être un point d'où flue et reflue l'air, la nausée et l'odeur de javel n'aidaient pas. J'ouvris les yeux. « Vous êtes ici » indiquait la croix bleue. Ce n'était pas une croix à proprement parler, plutôt un signe positif, un + qui se serait opposé à un –. Je secouai l'embout comme un thermomètre mais le résultat ne varia pas.

Sur le seuil du colloque Aîné me trouva pâle et me tendit un verre. « Croyez-vous que ce pays laisse la place aux femmes ? » me demanda la journaliste. Je souris à la caméra. La joie commençait à me faire tournoyer entre ses grandes pattes.

Quelques journalistes m'attendaient à la porte ; ils avaient mieux à faire que d'écouter nos conférences, ils me posèrent leurs questions : vos livres sont-ils autobiographiques ? Où puisez-vous votre inspiration ? Pourquoi un cochon, dans votre premier roman ? Parlez-vous yuoangui ? Les hommes et les femmes ont-ils un avenir ensemble ? Que pensez-vous du terrorisme ? Quel est le message de vos livres ? Auteurs yuoanguis que vous préférez ? La littérature féminine existe-t-elle ? Mangeriez-vous des OGM ? Avez-vous pris la nationalité yuoanguie ? Est-ce qu'avoir un enfant a changé votre écriture ? À la main ou à l'ordinateur ?

Je n'avais qu'une réponse en tête, la réponse du test. Chacune de leurs questions se dotait d'un écho prodigieux. La réponse se mettait à vibrer, prenant des sens involontaires, et je ne pouvais rien articuler, un sourire m'étirait la bouche, ça me montait droit du cerveau.

Il y eut un brouhaha, les micros basculèrent. Unama faisait son entrée. Je me serais bien concentrée sur mes opinions, finalement ; mais ils étaient sur Unama maintenant, ils lui posaient les mêmes questions avec les variantes qui tenaient à son sexe, à son statut, et au fait que lui, pas de doute, il était yuoangui. Les flashes se déclenchaient au-dessus des micros, les synapses neuronales claquaient, « prix Nobel », « Grand Écrivain », « Nation », « Combat », et aussi, selon l'âge et la tendance, « Réaction », « Sénilité ».

Au départ des journalistes le colloque put commencer. J'apercevais les quelques écrivains yuoanguis que je connais, un ou deux Espagnols, un ami catalan, un Antillais, et d'autres, étudiants, écrivains, critiques, éditeurs, ou tout cela

61

ensemble et se connaissant tous. C'était un petit pays. À peu près la moitié avaient, comme moi, un faciès de cochon d'Inde à cause des écouteurs pour la traduction. Les lettres U.E. étaient gravées sur mon boîtier, le Parlement européen avait dû distribuer de vieux stocks à ses petits entrants polyglottes.

J'ôtai mon casque par politesse quand Unama nous lut ses derniers poèmes. Chacun sait qu'un poème est d'abord une musique, un rythme, etc. Je maîtrisais à peu près ma nausée, je ne maîtrisais pas du tout ma joie. Mes pieds trépignaient sous ma chaise, mes doigts frétillaient sur mes cuisses. Le lyrisme d'Unama était parasité par une chanson guillerette que j'avais attrapée le matin à la radio. Puis Unama nous expliqua (je remis mon casque) que la poésie jaillissait du sol comme la lave qui a formé les montagnes de ce pays. La poésie sourd avec les sources, la poésie éclaire avec l'éclair, brutalement dans la nuit. La poésie, reprit Unama, jaillit comme les geysers de mon ami islandais Halldór Kiljan Laxness (prix Nobel 1955)!

Je constatai un début de panique dans le box de l'interprète. Halldór Kiljan Laxness et les métaphores avaient été un coup dur. Le poète épouse la nature, et la nature lui offre ses fruits, qu'il met en mots. On replante les arbres, dit Unama, mais les arbres ne sont pas ceux de nos collines. Sapins, pins, érables, défigurent les pentes du pays. Le barde yuoangui s'abritait sous les chênes, sous les... Il y eut un blanc sous mon casque. Les essences d'arbres primitifs faisaient pédaler l'interprète comme un hamster dans une roue. Aîné me chuchota qu'elle était spécialisée en commerce international, c'était la seule trilingue disponible à cette date, le pays en consommait beaucoup.

Unama couvert de cicatrices et de lauriers, Unama torturé sous Franco, Unama ministre dès l'Indépendance, Unama qui avait gravé ses poèmes sur les murs des cachots, Unama ressemblait à un bébé. Il était rond, petit et chauve, la ressemblance tout à coup me fascinait. Ses traits fondus par la vieillesse se dissolvaient en goutte sous le menton, et quand il s'animait, tout bloblotait des joues au ventre, une bulle hydropique dans un babygro ras du cou. Il était assis sous son portrait, une impitoyable photo, celle que nous connaissions tous : soixante ans, amaigri par la détention mais vigoureux, il lève le poing et son bras semble immense, une corde à la Giacometti. « La littérature est tombée avec les arbres de la forêt. La poésie est morte, son cercueil est en planches de pin. Les planches sont clouées, le cercueil est prêt à partir dans la fosse, et les faux poètes d'aujourd'hui l'entourent, une poignée de terre à la main ! » Je ne savais pas si l'interprète simplifiait pour aller plus vite, ou si les planches de pin étaient vraiment d'Unama.

La chanson guillerette bondissait dans ma tête. Je tapotais et me tortillais, c'était plus fort que moi. Beaucoup de vieux poètes supportent mal de quitter le pique-nique sans emporter toute la nappe avec eux. Unama mort, je soupçonnais fort la poésie, y compris la poésie yuoanguie, de lui survivre. « D'ailleurs la lecture est une activité du passé », renchérissait-il. Mon coquin d'ami catalan demanda la parole : « À l'époque de cette photo, un bon quart des Européens étaient encore analphabètes, s'exprimant dans des patois locaux ou des langues non écrites, alors de là à lire... » Il y eut une bronca. Dopée par les hormones ou ne tenant plus en place, je fis remarquer que Khakheperrê-seneb, scripte du pharaon Pépi II, se plaignait déjà que tout partait à vau-l'eau. J'avais lu ça la veille sur Internet. L'interprète n'en pouvait plus. Mon ami catalan riait très fort. Aîné proposa une première pause café, si notre cher Unama avait fini. Mais il n'en était qu'au début.

De quand datait cette grossesse ? Combien de temps étais-je restée ignorante de cet alevin qui descendait, descendait, le long de mes trompes et parois, jusqu'à trouver le bon endroit, la niche, et se loger dans la chaleur ? Combien de temps étais-je demeurée sourde et aveugle, alors que le prodige avait lieu ?

J'avais couru, un des premiers soirs de notre arrivée, et j'avais bu à la fontaine en regardant le village. Les ombres, je me souviens, montaient comme une inondation. Murs blancs et volets rouges, une carte postale du pays. J'avais eu une insomnie, est-ce qu'on avait fait l'amour ? J'avais marché pieds nus dans la maison, et au jardin brillaient quantité de lucioles. J'avais croqué dans la chair tiède d'une pomme. J'avais gravi la Glyphe comme en rêve. Et à Paris, c'était peut-être déjà à Paris ? Le jour où nous avons acheté des meubles ? Dans la poussière des livres et des cartons ? Et au square avec Tiot, étais-je déjà nauséeuse ? Et pour la visite à mon frère, étions-nous déjà trois, Tiot, le bébé et moi ? Étions-nous déjà quatre en famille dans l'avion ? Un petit spectre d'un genre particulier, du genre vivant, habitant du versant vivant des collines.

5, 4, 3, 2, 1 : contact. *Ignition*.

Déjà il s'était multiplié, il avait grossi et son cœur battait. Déjà son sexe était déterminé, et la tête se distinguait du corps. Et aussi extravagant que cela soit, dans neuf mois un enfant serait dans nos bras, dans neuf mois quelqu'un qui n'était pas encore là.

Je contemplais Unama dont les nécrologies étaient prêtes dans les journaux du pays et au-delà. *Match nul.*

*

Les enfants ne prêtent pas attention aux noms des écrivains, puisque personne n'écrit les histoires. Elles naissent et se diffusent hors d'un fond commun ; si quelqu'un les invente, c'est un être virtuel, un ordinateur sans lieu compilant pour l'éternité les mêmes données : Ulysse et son voyage, Roland et son agonie, la princesse de Clèves et son amour.

Elle lisait, petite, un classique de la littérature fantastique, un recueil de nouvelles, peut-être Lovecraft, peut-être Bradbury.

Un enfant enfermé dans une cave guette à l'étage les mouvements de ses bourreaux. Graduellement, par une sorte de tour de magie, la voix qui raconte devient de plus en plus angoissante. On ne peut plus s'identifier au *je*, à moins de tomber dans un gouffre. Cet enfant qui raconte s'avère un monstre, une erreur génétique, un accident de procréation extrêmement menaçant ; et les parents s'innocentent, on se prend à avoir peur pour eux. « Je fais mon bruit » dit le monstre.

Un homme, à la troisième personne, se penche à une fenêtre et voit croître lentement quelque chose au fond de la mer. Un disque, translucide et blanc. Une méduse ? un corail ? une algue ? Quelque chose d'innommé, mais qui est là, grandissant. Il semble que la mer fasse naître de telles créatures, des formes sans bords, mi-eau mi-chair, pour sidérer les cerveaux humains.

Une explosion, lors d'un voyage intergalactique, projette des astronautes dans le vide : chacun dans son scaphandre, avec une heure d'oxygène. Si elle se souvient bien – un autre apprentissage est celui des modifications, des réécritures de la mémoire – on suit chaque astronaute dans sa solitude, on entend toutes ces voix promises à l'asphyxie.

Plus tard, un court métrage, *La Jetée*, s'inscrit dans sa mémoire avec la même puissance que ces trois contes. Après une guerre nucléaire, des savants envoient un prisonnier dans le passé pour annuler les causes du désastre. Ils utilisent un souvenir de cet homme, un souvenir si fort que l'homme peut en faire un point d'origine, l'axe de ses aller et retour, comme une navette temporelle. Une femme du passé voit apparaître et disparaître cet homme, un amant clignotant, une incrustation amoureuse.

Quand ce film était évoqué, elle avait le sentiment de partager un culte, dont chaque adepte portait un écho différent : un récit pour chaque spectateur, une image pour chaque mémoire. Elle restait éblouie par tant de richesse.

*

C'était le tour d'un jeune homme maintenant, je lus sur le programme qu'il était une des figures montantes de la scène théâtrale yuoanguie. Et qu'il était né, j'en eus un coup au cœur, dans les années quatre-vingt. Les bébés de mes vingt ans sont aujourd'hui des adultes, qui viennent causer dans des colloques.

Il portait un petit bonnet comme en portent les jeunes artistes partout en Europe, il était habillé à la mode de Reykjavík et de Paris, et il s'exprimait en espagnol ; dans ce que je reconnus pour de l'espagnol, car il était lent, bègue, et précautionneux. Au bout de dix minutes il s'excusait encore de prendre la parole après un si grand homme, ayant lui même si peu vécu, si peu à dire et si mal. Unama fumait, l'air ailleurs. Aîné avait mis son masque d'impénétrable gravité. Mon ami catalan me regardait avec perplexité. La salle s'agitait. L'interprète se reposait ; méprisant visiblement l'incapable, elle résumait au lieu de traduire, ce qui ajoutait encore à la confusion.

Le jeune homme s'arrêta. Il transpirait, ses mains tremblaient. Ça devenait pénible. J'attendais d'Aîné un geste, une aide. Le petit bonnet dodelinait, muet, sur ses fiches éparses. Sa bouche s'ouvrit mais ce fut pour bégayer dans une langue impossible.

Je débordais d'ondes maternelles. « *Courage !* » lui intimais-je silencieusement. On entendait des ricanements. D'un coup me revinrent en mémoire les photos qui avaient circulé autrefois, les photos d'Unama torturé. Quel sens avait tout ce bazar ?

Si on en est là de la scène yuoanguie. Si les jeunes poètes, c'est ça. Petit pays, petite culture.

Tout à coup je compris qu'il jouait. Mon ami catalan se détendit aussi. Il y eut des rires soulagés et des sourires malins. Pas un pli ne bougeait dans le visage d'Unama. Était-ce seulement un *happening* de potache, ou cela allait-il plus loin,

II

L'ÉTAT CIVIL

La vie avait changé d'un coup. C'est d'un seul coup qu'ils étaient au pays. Le goût et la forme du pain sur la table, le miel qui sent l'eucalyptus, Tiot qui dès son premier jour d'école prononce un mot qu'elle ne comprend pas. Pour l'instant elle restait à la maison. La maison était comme une marge, une étape avant le pays. Elle attendait Tiot pour déballer les cartons, il lui passait cérémonieusement des cotons-tiges extraits un à un de leur boîte.

Le pays était là tous les matins à la fenêtre, et le goût nostalgique du pain, ce pain très blanc, mi-blé mi-riz. Tiot en détachait la mie exactement comme à Paris, et son mari l'avalait sans y penser, exactement comme à Paris. Elle mangeait ce pain du passé avec du beurre de la Laiterie du Nord, le logo d'autrefois était sur l'emballage : un saint Martin bleu partageant son manteau.

Et dès le premier matin elle est restée sur la terrasse, à regarder la Glyphe au lieu de défaire les cartons. Puis elle a regardé les ouvriers, elle leur a proposé du café et de la bière. Ils parlaient galicien – le pays, dans ses rapports d'exploitation, n'avait pas changé. Quelque temps après, elle est restée seule devant une piscine sur laquelle sifflait doucement le vent. Sur le remblai bien lisse le gazon a poussé. Le vent du Sud s'est installé. Les cartons indispensables se sont vidés. La pièce du fond, la future chambre du bébé, il aurait fallu l'arranger, mais une masse de cartons s'y entassait. Elle se disait : attends le quatrième mois, l'échographie du sexe de l'enfant, pour décider d'une couleur, d'un motif, d'un papier.

Mais c'était une fille, elle en était sûre.

Dehors l'air était magnifiquement respirable, elle restait dehors et la nausée s'atténuait. Elle ouvrait largement ses poumons, elle faisait circuler l'oxygène, et cet oxygène, elle l'offrait.

En médaillon, elle se tient paumes ouvertes dans le geste de l'offrande, un enfant ouvre la bouche et respire comme on mange.

Elle luttait aussi contre l'envie de fumer.

Disons alors qu'elle avait quitté Paris pour ça : pour offrir l'air et le jardin. L'été s'achevait, l'automne commençait. On pouvait se fier à l'herbe, aux arbres, aux êtres cycliques ; ils étaient là, vivants, tous les matins à la fenêtre.

À Tchernobyl, le premier matin, la rosée trouait la peau des jambes ; l'air et la pluie tuaient en quelques jours, et les fœtus mutaient dans le ventre des mères.

Se mettre à la place de, s'abstraire, se retrancher ; peut-être est-ce cela que les croyants appellent *prier* ? Elle ne demande rien. Elle est devant sa piscine. L'air est magnifiquement respirable. Elle essaie de faire un pas hors de sa peau, de respirer avec d'autres poumons. Trouver des chemins sous l'écorce, dans l'herbe, dans d'autres devenirs. Elle voudrait entrer dans les arbres, dans les autres. Comprendre, connaître : se déplacer dans les corps. Un travail de l'imagination en échange, en échange…

Des rosiers lourds, de la lumière qui penche à craquer. De l'odeur bleue de la mer. Des fougères au loin et du gazon gras tout près, et de cette douceur du mois d'octobre qui est, comme le goût du pain, un cliché et une nostalgie. Ce pays c'est octobre, le début du mois d'octobre : la lumière bascule, son oblique est jaune. Tout devient plus vert et plus bleu, la ligne des montagnes, et une prémonition de la mer où l'horizon se creuse.

« Le taux de CO_2 le plus bas d'Europe », c'était un des slogans touristiques. Ce pays un peu tape-à-l'œil, à la beauté facile, dont les habitants traînaient derrière eux leurs racines comme une paire de bretelles, c'était le sien. Est-ce que tout semblait artificiel à cause des couleurs saturées, brebis, rochers et pâturages ? Est-ce que le kitsch définissait l'enfance, et la province ? Tout lui semblait bénin et irréel, puéril, charmant, un décor mièvre au lieu d'une mémoire battante.

*

Je repoussais de jour en jour la visite à mes parents. Ma mère vivait face à la mer, et elle prêtait une caravane à mon père dans le fond de son immense parc. Le premier week-end, Tiot fut malade – trop d'air pur d'un coup. Puis le temps se mit à passer, me transformant en fille indigne.

J'allumais la radio et ce qui venait c'était de la vieille langue. Je ne comprenais rien, pourtant chaque syllabe me disait quelque chose. Une langue opaque, mais il semblait qu'un rien eût suffi à me la rendre transparente, comme un miroir sans tain quand on change de côté.

Ma mère et ma grand-mère autrefois, parlant de ce qui ne me regarde pas. J'assiste de l'extérieur à un spectacle fantastique, deux corps connus qui se confondent en une chair inconnue. Elles parlent de sexe et de mort ; des pères et des fils, de ce qui n'est pas pour les petites filles. Trente ans plus tard ma mère sculpte des statues funéraires qui lui valent une reconnaissance mondiale.

Je cherche une radio en français ou en espagnol, mais les émetteurs en vieille langue dominent, ils sont juste au sommet des montagnes. L'espagnol et le français luttent depuis plus loin, mais avec des émetteurs plus puissants : aucune chaîne n'est claire, toutes se parasitent. Alors je reste sur la vieille langue et ses sons rauques dans la villa. Ma mère et ma grand-mère parlent entre elles sous les grésillements.

Les amputés sentent encore leur membre fantôme, les influx dans les nerfs coupés. C'est un fait qui a souvent été rapporté après les guerres, et dans les pays au sol miné.

Ce roman que j'avais en tête, j'étais incapable de m'y mettre. Mais ça n'était pas grave. Les livres viennent. Celui-ci se nourrissait du vent du Sud, des fougères, du vide. Il prenait son temps. L'attente est l'état originel de l'écriture ; l'atermoiement, son lieu de naissance. Si écrire c'est faire autre chose qu'écrire, écouter la radio, nager, aller au cinéma et lire, alors de l'écriture j'étais la championne du monde.

J'attendais, au bord de ma piscine, que quelque chose bouge entre le pays et moi.

La dernière semaine, à Paris, j'avais acheté une pile de mes cahiers préférés. Ce n'était pas par fétichisme. Écrire est déjà assez laborieux pour, en plus, se persuader qu'on a besoin de ci et de ça pour s'y mettre – à part de temps et de liberté. J'avais acheté une pile de ces cahiers simplement parce que leur compagnie est agréable. Blancs et unis, sans rayures ; et pas trop épais pour pouvoir les transporter partout. J'ai besoin de faire quelque chose de mes mains, de les relier activement à mon cerveau. Quelque chose qui laisse une trace, au sens où le pianiste, quand son morceau est joué, a les mains vides. Avec un peu de chance – il ne s'agit pas du tout de chance, mais passons – avec un peu de chance au bout d'une journée j'ai dans les mains une page de phrases : la trace de mon travail, la trace que j'ai passé la journée à quelque chose et pas à rien, même si plus tard la page finit à la poubelle.

Un mercredi après-midi, Tiot faisait la sieste, j'ai sorti un flacon d'encre du carton marqué « bureau » et j'ai rempli la pompe de mon stylo ; me disant qu'avec un peu de chance – même si décidément la chance ne fait rien à l'affaire –

l'encre se déviderait au fil des jours. L'écriture était pour l'instant dans le flacon, une pelote liquide. Je contemplai ce flacon qui contenait mon livre et j'écrivis le titre sur la couverture du cahier : *Le Pays*.

Puis je me levai et fis du thé dans la cuisine, c'était déjà bien parti, une première étape de franchie. J'ouvris le frigo et mangeai pensivement un yaourt. Ne pas fumer. Tournait dans ma tête un mobile, lent et éclaté… des fils et une structure ténue, de petits objets occupant un espace… avec une mesure, un rythme… un organisme… Si je trouvais une forme, un lien intuitif entre les éléments du mobile, il deviendrait lisible, il deviendrait un livre.

Je revins dans mon bureau, posai le pot de yaourt à côté de l'encrier et restai assise. Tiot s'agita dans un rêve de l'autre côté du mur. Quand il était bébé, je me dépêchais, je n'avais que sa sieste pour travailler. Et puis j'avais fini par prendre l'habitude d'entrer quoi qu'il arrive dans cette zone blanche, où ni lui ni moi ni personne n'existions mais une certaine lumière, des échappées, des bribes… jusqu'à ce que les mots mettent du plein où il y avait ce vide précieux et riche. Sans doute les sculpteurs contemplent dans la même absence à eux-mêmes le bloc de marbre ou le modèle... Peut-être les musiciens empoignent-ils leur instrument dans le même exil, et les peintres, les artistes, que sais-je, approchent-ils leur matériau dans le même oubli de leur état civil. Les phrases naissent, elles prennent place et résonnent dans une chambre vide.

« Maman ! » appela Tiot. Je revins à moi, *let's call it a day*, une bonne journée de travail derrière moi.

*

Elle déposait Tiot à l'école. La maîtresse leur disait bonjour en vieille langue. Tiot s'engouffrait dans la classe et attrapait des pinceaux, se mettait de bon cœur à l'ouvrage. Debout devant les feuilles blanches, des enfants tous blancs et bien habillés. À Paris les feuilles étaient fixées par des pinces à linge, ici ils ont chacun un chevalet. Ce pays, c'est la Suisse. Ici les nounous aussi sont blanches, qui emmènent les gosses à l'école.

La maîtresse la retient sur le seuil, elle lui adresse en vieille langue ce qui semble être des recommandations. Elle connaît la maîtresse, elles étaient dans le même lycée à une année d'écart. Elle s'appelait Estelle ou quelque chose comme ça. Maintenant elle s'appelle en vieille langue. Elle articule et parle lentement, pour bien marquer à chaque mot qu'elle aura beau rentrer mille fois au pays, elle ne sera jamais d'ici.

Ça ne fait rien.

Elle se tient sur le bord du monde.

Six ou sept semaines. Mi-haricot mi-têtard, une queue de crocodile et quatre petites pattes.

Ses mouvements ne lui sont pas encore perceptibles, mais la nausée est comme une mémoire physique, l'omniprésente nausée fait que le bébé ne quitte pas la pensée. Tous les organes sont imprégnés par la grossesse et modifient leur fonctionnement : les processus d'accueil sont actifs nuit et jour. Et l'estomac déborde d'hormones qui ne sont pas, c'est un fait, parfaitement compatibles avec les fonctions digestives. Elle vomirait bien sur la maîtresse, mais ça ferait du tort à Tiot.

*

Je rêvais au *Pays*, assise dans mon bureau.

Le voyage scolaire de fin d'année, c'était toujours les tumulus de la vallée d'Ur. On prenait le train vers la Glyphe, on s'arrêtait à Ur, et on achetait des beignets aux buvettes du bas. Dans des sortes de caves à fromage recouvertes de mousse verte, il y avait une trentaine de statues debout. Elles n'étaient pas sans rappeler la grandiose armée posthume du premier empereur de Chine ; mais en plus petit.

À l'époque les statuettes n'étaient pas encore restaurées, et j'avais cru comprendre que tous les parents d'élèves n'étaient pas d'accord pour cette visite. C'était bien avant l'Indépendance, et les rites funéraires yuoanguis sont assez impressionnants.

La différence entre écrire et ne rien faire est ténue. Une phrase, on relève la tête... La phrase suivante est en suspens. Le temps se peuple, aussi mécaniquement que le vide attire le plein. Ça se met à bouger. Une inquiétude parcourt les meubles, soulève la poussière...

Des choses remuaient dans la maison. Sur les bords de mon champ de vision, passaient des ombres. Dans les miroirs plus qu'ailleurs, dans le reflet des vitres, dans l'ombre d'une porte rabattue par le vent. Je me levais, un manteau accroché à la patère était un visiteur. Une serviette en boule un petit corps couché. Une main s'agitait dans les branches à la fenêtre. Un visage, tout à coup. Le pays des spectres. Le téléphone sonnait dans le silence, et comme j'allais répondre un enfant se précipitait dans mes jambes. Je m'arrêtais, le cœur fou. Mon souffle, et les mouvements de mes yeux, les faisaient naître. Une page que je froissais, et j'entendais un nom. Une porte était ouverte que j'étais sûre d'avoir fermée. Un rideau battait sans vent à la fenêtre. Une silhouette debout m'attendait immobile, et l'adrénaline me secouait comme un drap. Chacun, assis seul, peut faire l'expérience de leur présence. Il se trouve qu'écrire vous tient à une table, dans une grande disponibilité aux fantômes.

La présence que je redoutais le plus, c'était celle des poupées de sépulture. J'ouvrais un carton, et l'espace d'un battement de paupière j'en voyais une, dans une peluche de Tiot, dans un pyjama déplié, dans un tire-bouchon qui levait les bras. Mon cœur sautait, je pensais au bébé et m'excusais pour les secousses. Je me disais ma pauvre, tu finiras comme Pablo.

Ce n'est pas dans tous les pays qu'on déterre les corps un an après leur mort, mais je crois que ça se fait aussi dans certaines régions reculées des Andes, et peut-être chez les tribus animistes de l'Afrique des Grands Lacs. Les détails du grattage des cadavres ne sont pas faits, convenons-en, pour attirer les touristes. Les vêtements des morts sont beaux, mais les raclettes pour nettoyer les os, les perruques en vrais cheveux et les yeux postiches peuvent mettre mal à l'aise. À y regarder de près, les plus célèbres des statuettes, celles de Ur – je parle d'avant leur restauration – laissaient d'ailleurs voir, sous leurs habits mortuaires, plus que des os. Il restait par endroits une sorte de mortier, on en garnissait le squelette pour suggérer la chair manquante ; et des lambeaux de peau. Et des trucs, des dents, des poils. On avait laissé dans le ventre de plusieurs femmes de minuscules statuettes d'enfants, mais la plupart des objets retrouvés étaient exposés dans les vitrines du Musée : scalps, baudriers, colliers de dents arrachées à l'ennemi, étuis péniens.

Les rites, réprimés, ont survécu sous la forme de poupées funéraires de petit format qu'on glissait dans la tombe du mort. Ma grand-mère, Amona, est morte sous le premier Gouvernement Autonome, au moment où s'ouvraient les premières Maisons des Morts. Les rites ont trouvé de nouvelles formes, mieux adaptées à l'esprit du temps. Le film publicitaire que nous avions vu dans l'avion réglait la question avec un bref aperçu de ce qu'expose ma mère au MNAC, poupées brodées et totems.

Un jour, alors qu'il restait encore une douzaine de cartons à ranger, j'ouvris mon cahier et j'écrivis une phrase qui me tournait dans la tête, une phrase comme un air de chanson : « Il était temps de rentrer au pays. » Ça faisait un programme, un rythme, un horizon, ça faisait une première phrase.

*

Elle ne parvenait pas à englober le pays. Elle aurait voulu le voir d'un seul coup d'œil, un coup d'œil circulaire, comme une île. Une île d'un seul tenant, un réseau de forces comme l'Islande – et encore : on croit l'Islande d'un bloc, mais pas du tout. Sur l'Ouest, en tranches nettes, des fjords allogènes débordent. Táalknafjördur, Bolungarvík, Ísafjördur, font une oreille à l'Islande ; comme une excroissance à la Lune. On dirait un bout de Groenland, poussé par la dérive des continents. Comme si les Danois, avec perversité, avaient greffé un bout de sol à leurs anciens vassaux via leur colonie eskimo.

Mais le pays n'est pas une île. Du haut de la Glyphe, on voit les routes, autoroutes et voies ferrées, tenir ensemble pays et continent ; on voit l'interface des montagnes, la communauté des fleuves ; et même, vers l'Est, la stricte identité des champs yuoanguis et des champs français : une continuité agricole, ancienne et tranquille.

La seule frontière tangible est maritime : l'arrêt brusque de l'Europe. Falaises, strates, géologie. Les falaises yuoanguies sont un des lieux de la Terre où l'on trouve de l'iridium. Le film dans l'avion en parlait. Un métal blanc, extraterrestre, issu du météore qui a tué les dinosaures. Le moment de l'impact est là, figé dans la roche.

Elle aurait voulu englober le pays dans toutes ses composantes. Le contenir, le faire sien, et ensuite en être débordée, d'accord, mais l'avoir d'abord senti physiquement. Les bébés veulent avaler pour connaître. Elle en était peut-être restée là.

*

Avant notre installation, avant notre immigration, il avait fallu s'occuper des papiers. Nous nous étions rendus à l'ambassade yuoanguie, dans le VIIIe arrondissement de Paris. Diego restait argentin, il n'avait pas le choix ; moi je souhaitais profiter des récentes lois européennes pour obtenir la double nationalité, française et yuoanguie. Depuis l'Indépendance je pouvais nommer la nation dont je venais, et m'enorgueillir comme une enfant ; ce qui était écrit sur la carte d'Europe serait bientôt inscrit sur ma carte

86

d'identité, et mes amis parisiens n'auraient plus rien à dire : je venais de là. Ce serait comme une *petite naissance*, un nouvel état civil, un état civil complet.

Au troisième rendez-vous, après un cumul de dix heures de queue, tout devenait très compliqué. Je ne parlais pas la langue. Je n'étais pas salariée. Pourtant je voulais travailler, oui, travailler au pays. Je souhaitais y payer mes impôts et participer à sa construction. J'avais donc besoin d'un permis de travail. J'étais *de facto* dans la situation de demander un permis pour écrire. Mais pour l'avoir, ce permis, il fallait que je justifie d'un emploi au pays. Or je n'y avais pas d'employeur. Y allais-je pour créer ma propre entreprise ? On pouvait, en forçant le sens des mots, le dire ainsi. Alors quels étaient ses statuts, de quel capital disposais-je ?

Le pays où j'étais née avait la même administration que partout ailleurs. L'Indépendance avait fait croître une nouvelle usine à papier – qu'allais-je imaginer ? J'aurais la nationalité yuoanguie au bout d'un an, automatiquement, puisque j'étais née au pays. L'enfant que je portais l'aurait si mon utérus s'ouvrait sur le sol du pays. Diego et Tiot ne l'auraient pas.

Je me déclarai donc femme au foyer, taisant l'écriture qui compliquait tout, et payant mes impôts par le biais du *chef de famille*, mon mari. Le monde était en ordre.

*

Elle ne parvenait pas à englober le pays. Le temps qui coule, qui bat, physique, le temps qui fait les enfants, il lui semblait pouvoir le sentir. L'espace, c'était une autre affaire. Habiter. Voyager. Partir. Revenir. Observer l'effet produit. Le temps était fait d'histoires, l'espace était fait de failles. La géographie découpait le temps, par marches et par entailles. Elle arrêtait des bords, plantait des limites, creusait des lignes. Tombes néolithiques. Brèches pittoresques où les Francs furent égorgés, où Roland sonna de l'olifant. Clairières de sabbat et places de bûcher. Vallées de reddition. Arbres témoins de massacres. Prisons où on avait torturé, caves où on avait assassiné. Bâtiments modernes où pendaient des symboles de mieux-être.

Le pays était un objet stable. Ses paysages se laissaient longuement contempler. La terre n'y tremblait pas. Les crues étaient modérées ; les raz de marée, exceptionnels. Seule la falaise était friable et tombait, de temps en temps, dans la mer.

À Erevan, une heure après le séisme, les rues n'existaient plus, les ruines bloquaient les secours, les trajets étaient entièrement nouveaux. Les descentes et les montées avaient changé de place, le lit de l'Araxe avait bougé. Les survivants n'habitaient plus nulle part.

Ici on pouvait s'installer et explorer. Imaginer toutes les mers dans le golfe de Gascogne. Parcourir la Chine et l'Équateur dans des jardins. On pouvait aussi descendre dans une rose par l'escalier tournant des pétales, jusqu'au cœur fait de grains, de pucerons, d'atomes. Suivre la pluie le long des tiges, jusqu'au réservoir des embranchements, comme dans un petit arbre du pèlerin. Le vent du Sud apportait du Sahara un sable ocre, qui faisait en octobre d'insolites congères aux fenêtres. Il y avait tant de choses à voir, à comparer et à décrire. S'il avait fallu bâtir une carte du pays, on en arrivait vite à la conclusion que l'échelle devait s'inverser : non pas réduction, mais agrandissement, pour entrer dans le détail de tout ce qui existait. Il fallait une carte en relief, pour mouler les arbres, les herbes, les terriers, les sources, les volets des maisons, les tuiles sur les toits. Les éléments du paysage n'étaient pas réductibles à un plan. Sans parler des vagues et de tout ce qui bouge, et des êtres à l'intérieur d'autres êtres, bactéries, poussins dans les œufs, bébés dans les corps. Si cette carte du pays équivalait déjà à une petite planète,

Un matin de fin octobre, après avoir déposé Tiot à l'école, j'ai pris la Corniche en direction de chez ma mère.

Ma mère habite une maison stupéfiante. Elle vit avec Kyle, l'architecte qui a dessiné le bâtiment du MNAC. Les courbes du Musée sont organiques, mais ici c'est une période plus minérale de l'œuvre de Kyle. Des cubes de verre posés sur pilotis communiquent par des sas, et dans la cour intérieure, dans le *patio*, les blocs de pierre de Glyphe ont été laissés à leur place originelle, ils émergent de rectangles d'eau où poussent des nénuphars.

Ici on peut lire et travailler en n'ayant que les pierres, les arbres et l'eau autour de soi. Et du grand salon on plonge dans le rectangle total de la mer. Ma mère dit qu'il faut un côté cour quand on vit face à la mer, que la mer toute la journée rend fou. Son atelier donne sur le parc. Verre et métal. La maison miroite dans les plans d'eau, les arbres miroitent dans la maison, et ma mère toute la journée vit dans ce lieu qui semble fait pour des habitants mythologiques (« pour des parvenus », dit mon mari, qui n'a jamais vu maison plus prétentieuse).

Deux totems funéraires marquent l'entrée du parc : des géantes d'acier revêtues de foulards. Le portail est ouvert mais je sonne. *Miren Zabal – Kyle Goff*, et en dessous, sur une boîte à lettres pleine de prospectus humides, *Jean Rivière*, mon père.

Les femmes n'ont pas de nom. Même si j'écrivais sous le nom de ma mère, ce serait sous le nom de son père à elle. Si j'accouche d'une fille, elle n'aura que son prénom. Il faut que nous trouvions des syllabes suffisamment fortes pour la nommer, entière, pour signifier son surgissement. Une femme unique au monde, ma fille.

Je serre la main de Kyle à travers la portière et j'avance dans l'allée. L'allée, je suis toujours étonnée d'avoir le droit de rouler dessus. C'est un rectangle surnaturel, fait de pierres de Glyphe enfoncées dans le sol sur leur bord le plus étroit.

Kyle a vingt ans de moins que ma mère et dix ans de plus que moi. J'ai toujours eu l'intuition qu'il ressemble à mon frère, mon frère Paul, celui qui est mort. À moins qu'il ne ressemble tout bêtement à mon père. Il est en tout cas à l'image de ses constructions : surfaces lisses qui miroitent. J'ai du mal à le voir, je passe au travers.

« Ma petite Marion », ma mère m'embrasse sur le gué au-dessus des nénuphars. Dans le hall d'entrée, appelons ça un hall d'entrée, on passe sous une de ces araignées monumentales qui ont fait sa célébrité, paraît-il, dans le monde entier. Les pattes boulonnées se rejoignent haut sur nos têtes, le corps est un panier plein de globes en verre bleu. D'autres araignées sont dans le parc. Le soleil se lève entre leurs pattes, et elles ont cet aspect gluant que ma mère sait donner au métal. Tiot les adore, d'une main il s'accroche et il tourne, tourne.

Depuis sa naissance c'est la première fois que je viens sans lui. Le parc est vide. Tiot semble avoir disparu dans la lumière rasante. On ne peut pas toucher de bois dans cette maison, il n'y en a pas.

« Marion, ma petite marionnette », dans la famille on aime les diminutifs. Ma mère fait dix centimètres de plus que moi et cinq de plus que Kyle. Je pense à Tiot. Je suis bloquée sur Tiot. C'est son vrai nom. Plus de deux ans que je le connais, et j'accepte seulement maintenant de laisser un peu d'espace entre nous, de rendre à l'espace sa fonction de séparation. Il est là-bas, à trois quarts d'heure de route, enclos entre les quatre murs d'une école de ce pays.

Je m'assieds dans le living et je laisse agir la maison. Elle vibre de lumière et de vide. L'espace, la distance d'un point à un autre, n'a été inventé que pour se découper dans ses bords aériens.

Soleil et vent. L'eau ondule, plisse, revient dans les angles, s'ouvre, se ferme…

J'ai vu, à Kyoto, une fontaine faite d'une seule goutte d'eau, qui tombe dans une vasque naturelle. Les cercles concentriques se reflètent sur la roche : naissances de cercles que l'on peut contempler, roche et eau, pour l'éternité.

Ma mère apporte une théière fumante qui doit valoir un tiers des revenus mensuels de mon mari et plusieurs centaines de mes livres en droits d'auteur. J'ai envie d'une bière (et d'une cigarette). Ce n'est pas la meilleure façon de lui annoncer que je suis enceinte.

*

Depuis que les trois zones sont un seul pays, la Corniche est devenue une sorte d'artère d'unification. Si l'on était à Paris, ou que le pays était une île, ce serait un périphérique ; mais la Corniche ne longe que la mer et n'encercle rien. Pourtant c'est une route dotée d'un pouvoir national, une frontière sur l'Ouest.

Le pays est fédéré par le paysage vu depuis la Corniche. La falaise brisée, les rochers jumeaux, la ligne d'horizon sur mer et montagne, le fleuve et l'ancienne frontière : beaucoup de cartes postales sont prises de la

Corniche. Les cartes routières sont marquées « point de vue » à son emplacement.

Macadam flambant neuf, barrière à catadioptres, voies de secours, bornes SOS : le ruban de la Corniche brille, humide, en courbes douces. De temps en temps apparaît dans un creux une de ces villas *modern style* que détestait Loti. Y vivent maintenant des couturiers français, des cinéastes espagnols, des producteurs portugais, et quelques riches héritiers du pays. Depuis peu, les grandes toques de la nouvelle cuisine locale. Et quelques Anglais et Allemands, mais ici il pleut, c'est l'Atlantique, pas la Méditerranée ; plutôt Açores que Baléares, plutôt brumes que soleil.

Falaise. Après le Nord sableux la côte casse en pans obliques qui reflètent le ciel et font, dans la mer, des lagons de lumière blanche. Près d'un vieil hôtel Art déco une piscine est creusée dans la roche ; elle se remplit à marée haute et se vide à marée basse. Hemingway s'y baignait, paraît-il, à l'époque où il écrivait *Le soleil se lève aussi*.

*

Je traverse le parc, *au suivant*, pour aller voir mon père. J'aime bien l'arbre en métal, une œuvre ancienne de ma mère. Les soudures des feuilles les plus fines sont faites pour rouiller aux embruns.

95

Elles volent sur quelques mètres et s'enroulent à terre. Ma mère en ressoude au printemps. D'autres plus lourdes sont au sol, des coupelles d'acier. Elles tintent en basculant sous les pas, dérangeant des mille-pattes et des poissons d'argent, comme si le génie de ma mère allait jusqu'à inventer, là-dessous, les insectes.

La contemplation des œuvres de ma mère me rend stupide ; Tiot, lui, prend les feuilles dans ses mains et se regarde, hilare et déformé, comme dans des cuillères.

Mon père a de la visite. Un vieil homme à cheveux blancs écoute la radio sur les marches à l'abri du vent. La caravane est haubanée au sol, sans doute par Kyle, pour éviter qu'elle ne s'envole dans la mer. Et puis je le vois tout à coup, le vieil homme à cheveux blancs : mon père, que j'imagine toujours svelte et magnifique comme quand j'avais dix ans ; mon père, le général de Gaulle selon Pablo. Il a sur le dos sa vieille veste en velours, et de commun avec les fantômes que tout ce qu'il touche, tissus, meubles, plantes, se défraîchit d'un coup.

« Une otarie du zoo de Prague s'est échappée. Il y a eu une inondation, l'eau a monté, elle a guetté le bon moment et hop ! elle a glissé par-dessus la grille. »

Il mime.

« Elle a nagé jusqu'au fleuve, presque jusqu'à la mer. Mais des enfants l'ont vue dans leur jardin, ils l'ont passée au kärcher et maintenant elle est apprivoisée. »

Je ne vois pas grand-chose à dire.

« Je n'en peux plus », conclut mon père, ce qui est sa virgule à lui, sa ponctuation, la phrase qu'il dit.

« Je suis enceinte », je dis.

Mon père sort deux bières de son petit frigo et nous descendons la dune.

La mer est là, avec son épuisante familiarité. La mer d'ici, celle que je connais par cœur, par tous les temps et par tous les états. Rouleaux bas, marée montante ; écume épaisse, large estran ; bulles des couteaux dans le sable, algues par paquets pourpres. Et le ciel nuageux, le vent tiède, le bruit.

Ce qui m'attire l'œil, ce sont quelques pissenlits saugrenus, à mi-flanc de la dune rase.

« L'azote, dit mon père. C'est toujours là que je pisse. »

Ça ne me fait pas reculer, mon père ensemençant la dune. C'est la logique même, c'est ce qui lui reste. Qu'une sève trouve son chemin dans ce sable si pauvre, cerné par l'océan ; que l'azote et les minéraux en fassent une chair drue et grasse, et des couleurs – j'ai l'impression de comprendre ce qui roule dans le sol et nous nourrit ; une compréhension rustique du monde.

– Et vous allez l'appeler comment, cette fois ? demande mon père. Pol Pot ? Biscotte ?

– Épiphanie, lui dis-je. Je suis sûre que c'est une fille.

*

La Transfrontalière se sépare en ʌ pour relier les trois grandes villes, B. Nord, C. Ouest et B. Sud ; elle forme avec la Corniche le réseau routier n° 1, un symbole de paix incomplet qui la troublait, petite, sur la carte au mur de l'école. Elle voyait des signes partout, choisissant des marques sur le goudron ou évitant un caillou sur deux. Elle se promenait à pied avec ses parents, le dimanche, au bord de la Corniche pleine de nids-de-poule ; côté espagnol c'était même une piste de graviers. Maintenant on a construit tellement de routes secondaires, comme partout en Europe de l'Ouest, que le réseau a dû s'étoiler jusqu'à ressembler à une fine toile d'araignée.

Dans sa voiture, chemin du retour, le pays lui saute aux yeux. Elle s'arrête sur une aire de pique-nique. C'est une mer d'automne. Houle longue et grise. La mer, surtout en automne, est d'une compagnie mélancolique. L'été, c'est une autre chanson : plage et plagistes, bleu vif, jaune vif. Mais dès la saison des bains passée, la mer vous prend à part et vous dépossède. Ce que vous êtes à l'intérieur se retrouve à l'extérieur. Vos molécules se mélangent au ciel et à l'eau, la solitude se diffuse. Les mots et les choses s'écartent, la pensée ne suit plus, les signes se désamarrent ; et le moi devient une grande béance pleine d'eau salée.

L'espace qui claque entre la vague et le rivage, elle connaissait bien cette hypnose, adolescente : la consolation du vide. Aujourd'hui elle s'allonge dans la bruyère. Les tamaris forment un auvent, rien ne bouge dans leur feuillage. Elle est adulte. Elle est enceinte. Elle n'est pas seule. Et le moi existe, vivant, mouvant, quand le monde défait le sujet familial dans son souffle.

Il suffit qu'elle s'allonge au sol pour que se déclenche comme par tellurisme la rêverie : Islande au Nord et Terre-Neuve à l'Ouest, le pays se déploie en projection atlantique. Déserts de neige, bateaux de pêche sous les aurores boréales, et quelque chose de vrombissant dans l'air, la vibration audible du gel. Les Yuoanguis poursuivaient la morue jusque vers Terre-Neuve. Il existe en Islande, dans les fjords de l'Ouest, des villages de baleiniers mariés avec des Islandaises.

Les vieux y parlent encore un mélange de vieille langue et d'islandais, ils connaissent les contes des dames à pattes de canard.

Le pays tourne au-dessus de sa tête dans la raideur des branches de tamaris. Un mobile. Il se transforme en livre. Un réseau pousse dans son cerveau. Le filet s'étend. Un rythme s'inaugure, qui doit recenser une zone. Les livres s'écrivent sans elle mais sur un rythme biologique, comme on a un encéphalogramme unique et des empreintes digitales à soi. Ce livre-là parlerait d'habiter et d'être née quelque part en conjuguant ces modes à diverses personnes, puisque écrire : « je suis de là », elle ne savait pas bien ce que ça voulait dire. Il fallait tenter l'expérience, placer un sujet dans un lieu, étudier les lieux communs des personnes et des pays. Ça commençait comme ça, paysages et questions.

*

Les mouettes s'amusaient dans les ascendances. Elles s'amusaient vraiment, jouissant de leur capacité de vol, conscientes de leur renversant privilège. Elles firent plusieurs passages, tête penchée, coup d'œil, pupille noire sur iris bleu : j'aurais pu les toucher. Puis elles restèrent stables, à deux mètres de moi, en quinconce dans

le vent. Le plateau de la falaise se prolongeait sur leur dos. J'aurais pu marcher de mouette en mouette, à gué dans le vide.

Mon téléphone sonne. Au début je crois que c'est une mouette.

« Comment ça se passe ? » hurle Pablo dans mon oreille.

Son appel est si inattendu, sa phrase si appropriée, que je crois que nous allons avoir une conversation sensée, je le crois encore une fois. J'ai les yeux posés sur les mouettes : elles n'ont pas bougé. La falaise, les mouettes, la mer : endroit béni, décroché de nos histoires. On se prend à rêver, on ne touche à rien. On se dit que si les mouettes restent ainsi, immobiles dans le vent, si le seul mouvement que l'on fait soi-même est d'articuler entre lèvres et langue une série d'inepties climatiques et familiales, alors tout ira bien, le cliché nous sauvera, nous serons une fratrie normale ayant une conversation normale à mille kilomètres de distance.

Peut-être mon départ était-il un choc salutaire. La paix, pour Pablo Rivière. Toute famille au loin désormais, parquée dans ce pays qui le concerne peu, ce pays d'*adoption*, peut-être était-ce la rupture qu'il lui fallait.

101

– Je suis le fils du général de Gaulle, dit-il à travers mon téléphone, et c'est ce petit objet stupide qui devient le relais de la calamité.

– Je sais. Aucun doute là-dessus. Je suis au courant, maintenant.

L'ironie, les cris, la patience, rien ne sert à rien de toute façon, rien ne peut couvrir son bruit, rien ne peut arrêter le délire. Parfois m'a effleurée l'idée de le croire ; me pénétrer de cette vérité, mon frère est le fils de De Gaulle. Et pourquoi pas ? Vérifier dans une biographie, le saint homme a bien mis les pieds au Pérou, il a pu engrosser, là-bas, une Péruvienne ? Sauf que Pablo est né bien après la mort du Général. Alors du sperme congelé ? Ou les mystérieuses voies de l'engendrement, une immaculée conception gaullienne ? Croire Pablo, le croire enfin, c'était peut-être faire qu'il cesse de répéter. Entrer dans son monde, partager sa folie. Se laisser convaincre jusqu'à ce qu'il se taise.

Un jour, à l'hôpital, rassurée par les murs, les grilles, le personnel, j'ai osé lui demander des nouvelles du Général comme on en demande d'un père. C'était un test, un schibboleth. Mais il ne s'est rien passé. Le programme n'était pas sur *play*. Pablo en était à énoncer de petits faits sen-

102

timentaux dans sa logique en points lancés ; le décompte « De Gaulle » n'était pas sur zéro.

Le discours de Pablo se dévide, et je pourrais jeter le téléphone du haut de la falaise, il continuerait à parler au fond de la mer.

Qu'une falaise dans un petit pays puisse être mise en relation directe avec un asile psychiatrique, je ne m'y habituerai jamais. Je suis fille des téléphones à fil qui sonnaient en faisant *dring* ; j'ai connu les poteaux bien avant les antennes, et même un téléphone à manivelle, au pays, chez ma grand-mère. Je suis née l'été miraculeux où Armstrong a marché sur la Lune, dans un espace ancien ; quand cet événement fit trembler la croûte terrestre sous la plante des pieds humains. Quadriller le ciel, recenser les lieux, habiter l'univers : l'espace ressemble à ces jouets de papier que les enfants ouvrent et referment pour y lire l'avenir.

Je cherche des yeux un motif, une branche, un nuage pour m'accrocher ; mes doigts se crispent pour fumer. Le récit filial de Pablo reste corrosif, il attaque l'oreille. Remonter quelque chose, son délire, la pente ; gravir je ne sais quelle éminence pour trouver un point : le lieu, le moment où Pablo a dérapé, la marche que nous avons ratée. Revenir ici, observer, je ne sais pas, le moindre brin d'herbe, les arbres, les bouts de forêts survivantes ; refaire les parcours et remonter le temps comme on reconstitue la scène d'un crime. Cette certitude que tout s'est joué ici, ici et pas là-bas, au Pérou, n'importe où.

J'éloigne le récepteur, *dans trois minutes je le reprends*. Mon frère, ma menace. Je peux aussi couper. Lui raccrocher au nez, éteindre le portable. Mais je ne le fais pas. J'attends, comme toujours. Être ici ne change rien.

*

Tout ce qu'elle savait, c'était son prénom, Paul, et qu'on n'en parlait pas. Elle était trop petite pour se souvenir de rien. *Mort subite*, comme une épitaphe en deux mots, c'était tout ce qui restait.

Quand Pablo est devenu fou, c'est là seulement que ce frère, qui n'avait pas vécu, s'est mis à exister. Une histoire s'est élaborée peu à peu, un fantasme.

On le leur avait pris. Est-ce qu'un chien était passé sur la terrasse ? Un sanglier, une bête de la forêt ? Un ou plusieurs êtres humains ?

Un été… Dehors, sur la terrasse, sous les arbres… il y avait peut-être un souffle d'air… Leur mère l'avait mis là, dans son couffin, à l'ombre, espérant qu'il fît plus frais. Elle s'était absentée, une minute, une minute… et ce très court instant avait fait prendre leur vie dans la pierre.

Il existe des fontaines calcaires où l'on dépose des morceaux de bois, des reliques. Plus tard, on les ressort gangués de pierre pour l'éternité.

Des années après, le téléphone portable de leur père avait sonné. Ils faisaient la queue quelque part, des billets de train peut-être… « On nous l'a pris », c'est l'expression qui lui est venue – il parlait, à qui ?… et la file de gens les écoutait… et elle ne pouvait pas s'ôter une image de la tête : lui, tel qu'il était déjà, vieux, défait, les cheveux blancs – à côté du couffin vide. « On nous l'a pris. » De quoi parlait-il ? Ça avait commencé là, sa fiction, son fantasme.

Le petit drap poussé de côté. La lumière tellement avide qu'on peut croire, au début, à une illusion d'optique, à une flaque de soleil versée sur le couffin, et qui aurait, une minute, fait disparaître l'enfant. Le revoir en clignant des yeux… Impossible. Le revoir aussi facilement que les ombres restent imprimées sur la rétine quand on a fixé le soleil…

Elle, leur mère, a-t-elle ensuite décomposé l'heure, l'après-midi, la journée ? Toute la semaine et toute la vie d'avant, pour en venir à cette minute, pour la comprendre, l'interroger, la transformer en signes ou en indices ? A-t-elle accusé l'enchaînement du temps, a-t-elle voulu refaire les gestes, reprendre les secondes, pour ne pas en arriver là ? Ou a-t-elle toujours gardé la raison, pensé aux seuls coupables, aux voleurs d'enfant ?

Est-ce qu'on pouvait isoler des moments, des erreurs, est-ce qu'on pouvait comprendre ? Accuser les morts, inventer un mort, qui aurait hanté la famille et Pablo, et l'aurait empêché de devenir quelqu'un ? Paul et Pablo, elle se mettait à les confondre. Elle inventait le retour d'un frère sain d'esprit. Un jour elle rentrait au pays, et elle le trouvait, assis à la table de sa mère en train d'équeuter des haricots verts. Ou elle trouvait un de ses avatars… jeune cadre, surfeur, jeune père de famille… Mais voilà : ce n'était pas arrivé. Il n'était pas sur la plage, il n'était pas dans la montagne, il n'était pas dans la forêt ni dans les villes du pays. Ni l'un ni l'autre : personne.

*

Il nous manquait, il manquait à chacun d'entre nous, à mon père, à ma mère et à moi, comme si le lien (aussi solide qu'un mortier), comme si le matériau dont nous étions faits c'était sa chair à lui : tous nés de lui.

Si un atome est un noyau autour duquel tournent des électrons, alors notre chair comportait plus de vide, constitutivement, que celle des autres humains. Nous étions du pays si l'on voulait ; mais ce pays était le royaume du vide, la planète des singes recouverte de sable d'où émerge le bras d'une statue perdue. Une plage cafardeuse, là-bas dans le creux de l'Europe, un rivage lointain dont je m'étais enfuie, débarquant à Paris comme sur une autre planète, recommençant une autre vie – commençant ma vie.

La maison noyée dans les arbres, avec les grandes trouées de lumière… l'été l'avait pris, les arbres l'avaient pris, la lumière l'avait mangé… un bébé, trois fois rien, se dissolvant dans le soleil… ses molécules se dispersent comme des graines d'arbre… il s'éparpille, on voit à travers lui… S'il était resté une ombre… mais rien. Les arbres s'étaient penchés, leurs branches inclinées l'avaient pris. Ils l'avaient emporté dans la forêt.

Dans la forêt profonde
Entends-tu le hibou

Les chiens c'était elle qui les attirait, petite elle apprivoisait tout ce qui passait, les touristes les abandonnaient dans les impasses du lotissement… « Tu vas nous

107

ramener la rage », mais si c'était un chien, un chien qui l'avait pris, elle avait ramené bien pire... Un couple en manque d'enfant, c'était le mieux qu'il fallait souhaiter... L'emportant loin, loin du pays... loin de cet endroit de vertige, cette spirale, cette maison hantée dont le sol absorbait les enfants...

Lui, d'où il était, dans sa sidération, Pablo, fils de De Gaulle – lui, ce pays, il n'en faisait pas toute une histoire. Pays Yuoangui, pays sans nom, le pays avec adjectif comme il y a un pays dogon et un pays masaï. À la lettre P ou la lettre Y, dans l'hésitation de ce qui prime, le nom ou l'adjectif, le générique ou le particulier, Pays Yuoangui, pour lui, qu'est-ce que ça voulait dire ?

Et maintenant, lui, le bébé, le bébé grandi si on pouvait l'imaginer, il se baladait, l'innocent, dans un autre pays avec d'autres parents. Et ce que son cerveau savait du pays natal c'était seulement ça : un souvenir confus d'arbres immenses et de soleil. Fausse route, pour rentrer au pays, que de se souvenir de l'Afrique ou du Congo.

Et tous, silencieusement, on s'était retrouvés autour du couffin vide, je ne dis pas pour de vrai, je ne dis pas qu'on a défilé et qu'on s'est inclinés comme devant une tombe, justement, tout ce qui s'est dit à partir de là est devenu piégé, toutes les phrases se sont mises à ressembler à d'autres phrases : puits, échos, profondeurs, nappes d'eau remontant sans aucune possibilité de contrôle… et nous étions assis en rond autour du couffin vide, trois petits singes, l'aveugle, le sourd et le muet, *je ne vois rien, je n'entends rien, je ne dis rien*, trois petits singes distingués assis sur leur derrière.

Lui, d'où il était, dans sa sidération, lui, s'il était vivant quelque part, le subitement mort, l'enfant perdu devenu grand, lui, ce pays, il n'en faisait pas toute une histoire. À la lettre p ou à la lettre y, « pays yuoangui », qu'est-ce que ça voulait dire ? Un si petit pays – mais s'il était curieux des beautés de l'Europe : une carte postale, des plages et des montagnes ? Ou des attentats, des revendications désuètes ? Ou un grand tableau de Picasso, un massacre ? Le point aveugle pour ce frère obtus, plus obtus que les hirondelles… Avait-il même l'intuition vague d'un exil ?… un lieu sur la carte où pointer le doigt, où rentrer s'il se sentait perdu… mais son point d'origine était une entrée vide dans le dictionnaire – lieu de naissance : néant.

Et nous, la famille de singes, la famille yuoanguie, la famille indigène, nous lui manquions au point qu'il ignorait ce manque. Quand j'imaginais mon frère je voyais volontiers quelqu'un de stupide, égoïste, et indifférent. Un citoyen européen (à moins qu'il n'ait changé de continent ?) occupé à

ses affaires... ou même, ironie, ayant épousé d'autres causes, une autre identité douloureuse et pittoresque... se croyant fils d'Irlandais, de Corse, ou Russe de Lituanie, un insensé coupé de sa base, un Martien psychotique, un débile en exil.

*

Tiot grandissait. Il aimait s'allonger à ses côtés, la voir nue sous sa douche et se dire son mari. Une nuit où elle était seule, elle se trouvait dans une maison d'échanges. Les maisons d'échanges étaient une spécialité du pays au même titre que les tumulus et les poupées funéraires ; elles avaient toujours existé. Pourtant elle ne prenait conscience de l'aubaine que cette nuit. Une femme du nom de Nelle lui caressait les cheveux, sa tête reposait contre son ventre, pendant qu'un homme brun – les deux, inconnus – à l'accent peut-être croate l'attirait par les hanches et la hissait sur lui. Elle se laissait agréablement faire, suivant, retardant, devançant et ne faisant rien, absentée dans le plaisir et tout à ce qu'elle faisait ou ne faisait pas.

Tiot ouvrit la porte d'un coup, *blang* – elle était dans son lit, douloureuse et mouillée, son mari dormait à ses côtés, il fallait s'arracher aux bras des deux amis, Nelle et le Croate, pourquoi ce prénom, pourquoi cet accent, ils se perdaient déjà, elle allait les perdre – en posant les pieds par terre elle sentit le poids neuf de sa grossesse. La chambre se recomposait autour d'elle. Tiot s'était pissé dessus. Elle le prit par la main. Elle suivait, dans le noir, les tracés de leur ancien appartement. « Maman ! » protestait Tiot. L'envie de jouir demeurait, d'achever le rêve, de retrouver la maison d'échanges. Elle changea le pyjama, les draps, l'alèse, lui colla un ours sec dans les pattes et hop ! au lit.

*

J'encollais des lés de papier sur un établi loué pour l'occasion. Je montais avec précaution sur l'escabeau, mes doigts glissaient sur le lé enduit mais je tenais bon, je posais à ras du plafond et j'aplatissais avec la brosse. Je lissais vers le bas, lissais et lissais vers le bas. Mètres carrés par mètres carrés les murs éteints de la chambre du fond s'éclairaient d'un rose layette.

« Et si c'est un garçon ? » demandait mon mari.

Il voyait d'un œil inquiet une telle activité chez une femme enceinte. Ce serait une fille. Le choix du roi. J'enduisais, je posais, je lissais, j'aplatissais. Les bulles, je les fendais d'un coup

111

de rasoir. Lé par lé, la chambre s'éclairait. Je demandais à mon mari :

— Si tu trouvais une lampe avec un génie, quel vœu ferais-tu ?

— Je voudrais savoir qui a assassiné Kennedy.

— Ah. Mais dans notre contexte, dans notre situation ?

— C'est un événement dont nous sous-estimons tous l'importance.

J'encollais et je posais et puis je brossais vers le bas. Moi, je voulais une fille. De toute façon j'exigeais du génie qu'à l'avenir — c'était mon vœu — tous mes vœux se réalisent.

— Une vie d'ennui

estimait mon mari. À Kyoto, au Temple de la Fécondité, au cœur d'une foule de femmes, j'avais écrit sur un bonhomme de papier, avec mon alphabet, souhaitant que la divinité sache le lire, j'avais écrit sur un papier plus fin que tous les papiers d'Occident que je voulais un enfant. Pendant que le bonhomme fondait dans un tonneau d'eau limpide, qui pourtant devait contenir des milliers de bonshommes dissous, pendant que les lettres disparaissaient mon vœu devenait un cercle, qui tournoyait, me couronnant... Et Tiot avait surgi dans nos vies.

J'enduisais, j'escaladais, je collais et je brossais. La chambre de ma fille apparaissait lé par lé.

– Le *nous* existe, affirmait mon mari. La communauté.

Il avait fait suivre son abonnement au *Monde* et, à défaut de parler la vieille langue, il s'était aussi abonné au *País* : l'édition locale comprenait un cahier de nouvelles yuoanguies. Les processus de construction nationale l'intéressaient. Il était patagon, il voulait bien devenir yuoangui avec moi. Quand nous étions plus jeunes, il me disait que voir l'indépendance du pays était un vœu qui lui était cher, à lui Diego ; et j'entendais ce vœu sur un plan esthétique aussi bien qu'amoureux. Ce pays lui manquait, disait-il en me regardant. Ce pays te ressemble, disait-il en me regardant.

Et moi, passeport français, je voyais encore la planète comme un espace idéal. Ceux qui souffraient de ne pas avoir de frontières, je leur opposais la petitesse de leur pays et la splendeur d'un monde ouvert. On n'allait pas s'entre-tuer pour que trois hectares puissent émettre des timbres ? Je marchais sur leur plaie ouverte. Séparatisme était un gros mot, nationalisme une idée d'extrême droite. Le Mur de Berlin venait de tomber. Surgirent alors des dizaines de frontières, comme une vitre se lézarde après un choc. L'Europe gagnait, dans la guerre et la paix, de multiples petits pays.

J'enduisais et collais et lissais ; à petits coups de lame de rasoir, j'éliminais les bulles, je faisais adhérer les lèvres du papier. Le nous existe. La communauté. Le cliché sur mon métier voulait que les écrivains soient seuls. C'était vrai. De même que certaines femmes (et certains hommes) veulent être *la* femme (ou le seul homme), il m'arrivait, dans mes moments de rage littéraire, de souhaiter la mort de tous mes collègues : je demeurais l'écrivain, le seul écrivain, reconnue par défaut et portée en triomphe comme une torera à la sortie de l'arène. Mais il n'y avait pas à s'énerver, la plupart de ceux qui prétendaient écrire se dissolvaient d'eux-mêmes, s'amenuisaient, et *pouf !* disparaissaient. De toute façon quand j'écrivais, sur le moment de l'écriture, il n'y avait personne. Les fâcheux se logeaient dans les interludes.

J'étais française : j'aimais les écrivains morts. L'Amérique du Nord les aime à succès. L'Espagne les aime baroques. L'Angleterre les ignore. Tout ça je le savais en lisant les suppléments littéraires des journaux. Les Japonais écrivent sur les enfants fantômes. Les Russes, sur le délitement. Les Indiens écrivent sur les conflits de communautés. Les Chinois, sur la Chine. Les Yuoanguis, eux, n'écrivaient pas depuis longtemps. Le pays avait besoin d'écrivains, et en fabriquait à partir de très jeunes gens, qui maîtrisaient la vieille langue au point de savoir en jouer, au point de savoir l'inventer, mais pas forcément au point de savoir écrire des livres. À vrai dire, je ne pouvais en juger qu'à partir des deux traductions qui m'étaient tombées entre les mains.

Je collais et posais et lissais et brossais fort. « À la douzième semaine » disait mon manuel de grossesse, « vous êtes dans une forme olympique ». Nous, c'était nous trois, et bientôt nous quatre.

– Et les amis ?

demandait mon mari. Les amis étaient un autre livre. Quand la chambre fut presque entièrement rose, il me sauta aux yeux qu'il manquait une frise. Qu'est-ce qu'une chambre d'enfant, même rose, sans frise ?

– Une jolie chambre ?

rigolait mon mari. Il mettait un veto aux lapins et poussins, je me mis en quête de bateaux ou de dauphins. Ma mère m'avait conseillé un magasin de déco pas trop laid, dans les rues piétonnes de B.Nord.

*

À la douzième semaine, disait son manuel de grossesse, *vous êtes dans une forme olympique*. Elle l'avait retrouvé dans les cartons de livres. Réutiliser le même manuel, retrouver les mêmes conseils, les mêmes mots que pour Tiot, lui semblait malhonnête. Deux enfants uniques. Deux enfants uniques au monde. Le même utérus, mais pas au même moment, et transporté sous d'autres latitudes, comme un bateau lors d'un autre voyage.

Elle collait et enduisait et brossait fort. Elle était calme. Elle ne se rappelait plus ce qu'était un état d'âme. Toute sa vie s'était passée de l'euphorie à la dépression, de la dépression à l'euphorie. D'une zone à l'autre, la

116

musique de fond était si différente, le disque semblait passer à des vitesses si incompatibles, que la texture du monde en était transformée, et ce qu'on appelle le moi devenait un ectoplasme. « La dépression est une maladie métaphysique » disait Diego.

Elle voyait *Le Pays*, ses modules, sa structure ; les fils se tendaient. Une chose mentale capable de dire un lieu, et susceptible de faire tourner un monde. La personne de l'écriture n'était pas une personne ; la voix, si elle advenait, n'était enregistrée par aucun état civil. Dans la chambre d'échos qu'était l'absence à soi-même, l'écriture trouvait sa résonance ; la relecture servait à égaliser les humeurs des phrases, à les débarrasser de l'écrivain ; la publication, à l'arracher de là s'il y restait encore.

Intuitivement, il lui semblait que l'écriture résultait bien d'une alternance, mais pas celle des états d'âme, plutôt celle des états du corps : quand le corps était là, ou qu'il n'était pas là. Dans ce mouvement de balancier, dans cette dynamique, l'écriture avançait. La grâce, c'était que ça s'écrive, que ça s'écrive sans elle : sous ses yeux les phrases galopant sur le papier. La pesanteur, l'empêchement, c'était sentir son corps sur la chaise : cette envie de gigoter, de consulter son courrier, de se lever pour faire du thé, de se lever pour n'importe quoi, pour regarder par la fenêtre, pour pisser, pour quitter cette chaise, cette table, ce cahier ! Et les heures à ne rien faire. Le livre ne

demandant qu'à s'écrire, et elle, par sa présence, l'empê-
chant. Elle, sans qui ces livres ne s'écrivaient pas.

Des petits bateaux, des petits nuages. Elle se levait
pour voir si le papier avait bien pris, si de nouvelles
cloques n'étaient pas apparues. Elle aérait, elle respirait
par la fenêtre. Une frise dans les oranges, dans les mauves.
Les nausées s'estompaient, des jours entiers passaient
d'aplomb. À la douzième semaine, une forme olympique.
Les arbres en plein soleil étaient orange et mauve, leurs
feuilles phosphoraient, irréelles, sur le ciel bleu éteint de
quatre heures de l'après-midi.

*

« Épiphanie » hésitait mon mari, il pesait le
mot sur sa langue, « Epifanny comme dans
Pagnol? », « comme dans Pagnol » certifiais-je, et
le paysage redoublait d'ardeur, eucalyptus, collines, encoches de mer, je l'emmenais à son travail ;
« Épiphanie » répétait-il, il savourait les syllabes
dans sa bouche.

Mon barbare de mari s'est installé dans le
français qui lui va, quand il s'est estimé compris et
qu'il a estimé comprendre. Plus ou moins compris,
plus ou moins comprenant, mon mari voit avec phi-
losophie le filtre de la différence humaine. Mais les

prénoms lui échapperont toujours. Les prénoms sont les derniers mots que l'on maîtrise dans une langue. De même que j'ignore comment Jennifer, Emily ou Steven s'inscrivent dans l'univers anglo-saxon, de même mon mari ne sait pas évaluer le contexte social ou sémantique des prénoms français. Un jour, dans un autre monde, si je recroise Diego, je lui avouerai peut-être, avant qu'il ne m'étrangle, que les prénoms de nos enfants, en français, n'existaient pas.

Les noms et les prénoms font des encoches dans la langue, des chansons à l'intérieur des phrases. *Tiot*, *Pablo*, *Diego*, bientôt *Épiphanie* : je frotte la lampe de ces syllabes et ils apparaissent, mes génies. Pas comme apparaissent « arbre » ou même « Paris », levant des branches et une ville ; mais débordant de toutes parts, soulevant le nom comme une coquille d'œuf sur une tête énorme : un monde. Je peux transporter Paris dans le *pa* et le *ris* comme dans une boule à neige ; je secoue le mot et je vois des rues, mes rues, et la tour Eiffel, et le *Balzar* ou la crèche de Tiot. Avec le mot *arbre* je peux faire pousser des chênes, des eucalyptus, des forêts. Mais les êtres sous les prénoms débordent.

Épiphanie, bientôt, serait ici de la même façon. Au début ce serait un effort, un effort de concentration : faire coïncider ces syllabes avec elle. La nommer, non comme on baptise, cérémonieusement, mais la nommer au quotidien, en la lavant, en la nourrissant. En triomphant de la stupéfaction. Et la créature soulèverait le nom, au point qu'il n'y aurait plus moyen de l'entendre, ce nom. Il sortirait de la langue, tournoierait jusqu'à devenir chair.

Pour l'entendre à vide, comme j'essayais de réentendre les mots *Tiot* et *Diego*, il faudrait que je le répète hors de sa présence, que je le répète et répète, *É-pi-pha-nie*, et il se viderait, d'elle et de tout, jusqu'à sonner creux, fanes et épis secs, moisson à l'abandon ; et se regonflerait d'un coup, *wouf !* irrigué et laiteux, *Épiphanie*, lorsqu'il tournoierait à nouveau avec elle.

– À quoi tu penses ?

Nous traversions la lande près de l'ancien poste frontière. Les baraques en ruine, des deux côtés de la route, étaient mangées par le sable. Les dunes ondulaient à l'infini du petit paysage, jusqu'au prochain virage.

– Je pense à elle.

Et – Diego encore sceptique, peut-être, quant au « elle » – nous savions tous deux de qui nous parlions, nous eûmes tous les deux un rire heureux. Épiphanie. Elle tenait sa tête droite, son intestin était rentré dans sa cavité abdominale, ses jambes étaient maintenant plus longues que ses bras, ses oreilles migraient vers les côtés de sa tête. Elle avait une quinzaine de semaines. Elle était très mignonne.

*

Elle regardait ses parents, ce que subissaient ses parents ; l'un, son père, qui s'amenuisait, l'autre, sa mère, qui perdait ses bords, s'agitant, consultant... et dans le temps qui lui restait, dans le temps que Pablo leur laissait, briquant, lavant, comme si le problème était un défaut d'entretien... un envoûtement, des radiations, le sol... Son père, assis, fumait, il se fumait lui-même, on aurait pu le secouer sur un cendrier. Quand il fallut faire usage de force physique, ce fut encore sa mère qui s'en chargea, elle contraignait Pablo, elle le plaquait au sol. D'où avait-elle tiré ces bras, ces épaules – plus tard elle démolirait des blocs de marbre, elle tordrait du fer, elle bâtirait des échafaudages pour couler du bronze dans des formes.

Une pierre était tombée sur la maison, la pierre avait liquéfié la maison, les cercles rouges ne cessaient de monter du point d'impact. Son père sa mère et elle, à la périphérie d'un gong, posés à même la lame de métal et secoués en tous sens. Ils se tenaient dans les cercles, ils tanguaient d'un cercle à l'autre, ils tentaient de franchir les vibrations.

Pablo hurlait. Elle, la sœur, allait au lycée. Ne reconnaissait personne en rentrant à la maison. Rythme, expressions, attitudes et même odeur, tout disparaissait. Les déplacements dans l'espace, la façon de se pencher, de s'asseoir, tout était bouleversé. On peinait à franchir la journée, aucune routine n'y résistait. Comment s'installer, dans les hurlements de Pablo ? Pablo occupait le centre de la maison, et le centre de la maison débordait, gagnait le jardin, la rue. Il leur semblait que tout le village entendait, que Pablo assourdissait le pays, la planète, que seule la mer peut-être arrêtait ses cris.

Peu après la naissance de la Terre, une météorite l'a frappée en plein. Les énergies en jeu nous échappent. La Terre s'est liquéfiée sous l'impact et une énorme goutte a giclé. La goutte s'est mise à tourner autour de la Terre, et l'ensemble peu à peu s'est refroidi. Des millions d'années plus tard, les êtres humains nomment la goutte Lune.

Le hurlement avait commencé dès son retour de la forêt. Cette chose, cet objet qui sortait de la gorge de son frère. Monocorde, à l'aigu, mais ça s'échauffait et la note montait encore. C'était du son, mais on oubliait que c'était du son, toute pensée devenait impossible. C'était l'inverse de la pensée. Un bruit sorti d'une gorge humaine.

Est-ce le bedeau d'une église, qu'on torture dans *Andreï Roublev* ? Les barbares l'ont ligoté dans la nef et lui versent du plomb fondu dans la gorge.

Parfois ça s'arrêtait, quelques secondes, quelques minutes. On entendait le silence, le tissu frotté des choses. On s'entendait respirer. Lire, regarder la télé ? Se remettre à penser, à bavarder, à goûter ce qu'on mangeait ? Le hurlement recommençait : ça saisissait le cœur, ça prenait la poitrine. On respirait ce métal rouge, on le mangeait, on en était traversé. Les atomes se séparaient. On était dans le vide, dans le hurlement.

Une coulée de fonte au bord de laquelle chaque flammèche peut tuer un homme. Un dragon jailli de sa grotte, un ravage. Une bête non répertoriée, sortie de l'axe des générations, et à la fin de la journée un cri de castrat enroué.

Elle partit faire ses études à Bordeaux. Pour Noël, il ne hurlait plus. On était tombé sur la bonne molécule, le bon psychotrope. Lui avait trouvé la formule de son délire, il racontait et racontait le jour de la forêt, le jour où les flics lui avaient demandé son nom.

*

123

Elle me fit signe comme je montais sur l'escabeau. Dans ce mouvement quelque chose s'inaugura – quelqu'un. Je me tins immobile, perchée ; une fine bulle, immanquable, séparée de moi, distincte du mouvement de mes organes – une bulle, ma fille. Très petite et immense. Un être géant mais enfoui dans des fosses, occasionnant des rides à la surface. Le battement d'une aile de papillon, l'effet papillon, ma fille, minuscule créature m'occupant grandement.

J'avais perçu ses signes plus tôt que ceux de Tiot. « Parce que c'est ton deuxième », disait mon mari. Elle donnait de petits coups pour dire « je suis là », quand Tiot réclamait mon attention inquiète, me voulait toute à lui et toute autour de lui. C'était une fille parce qu'elle se distinguait à peine de ses flancs. Elle se laissait porter, elle montait et descendait l'escabeau avec moi, elle achevait de décorer sa chambre. Nous étions du même sexe ; nous nous parlions peu, nous tapissions.

« Te voilà bien sentimentale » disait mon mari. Il constatait avec consternation le triomphe des lés roses. Il m'embrassait dans le cou. Demeuraient autour de nous, dans la pièce et dans mon cou, les échos de son accent, *sen-ti-men-tal'*, *men-*

tal'… Les reflets et les ombres circulaient dans la lumière d'automne, la maison résonnait de présences et nous étions vivants.

*

Avant mariage et enfants, elle disait oui à toutes les occasions de visiter le monde. Le Grand Canyon, aux États-Unis, fut l'un des paysages les plus extraordinaires : d'immenses pyramides d'air enfoncées dans un sol rouge, un gouffre qui avait la taille de ce qu'on nomme en Europe un pays.

Le canyon de Schelling, lui, était petit et verdoyant. Ni parking ni buvettes : un lieu pour initiés, un canyon culte, dont le marketing reposait sur le secret. Elle avait lu le *Guide du Routard* et trouvé le sentier de chèvres. Le bureau des guides l'attendait tout au bout. Elle suivit un Indien nommé Barry, qui avait un jean 501 et de belles fesses.

La pierre était jaune, fraîche et lisse sous la main. Des sépultures hopis étaient creusées dans la paroi. Leur pas sur le grès ne laissaient aucune trace. Un vide extraordinaire se faisait, ce vide qui est l'autre mot pour la paix. Elle était *chez elle*, un chez-elle brusquement révélé. L'air était si calme, immobile, qu'elle aurait pu en séparer les molécules entre les doigts. Le gaz carbonique rejeté par leur

bouche se mêlait à celui des animaux, et les plantes le res-
piraient à leur tour. Tout était compréhensible, tracé dans
l'espace, évident. Elle habitait ici. Ici avait toujours été sa
maison.

À mesure qu'ils descendaient, la main sur la paroi,
le soleil s'enfonçait avec eux. On voyait une vallée, un
ruisseau, des peupliers : une oasis de climat tempéré
dans les profondeurs de l'Arizona. Ce n'était pas une
perturbante impression de déjà-vu, c'était la certitude,
paisible, de n'avoir fait qu'errer jusqu'à ce retour. Des
moineaux et des merles chantaient dans les peupliers.
Sur la berge sablonneuse poussaient de la menthe et des
boutons d'or. Un paysage européen entre les parois
jaunes, dans l'étroitesse de la gorge où la lumière, mira-
culeusement, se cassait pour pouvoir atteindre, comme
au fond d'une eau.

Un haschich de bonne qualité peut ouvrir à cette
extase d'un moi élémentaire, disponible à l'air et à
l'espace, plus qu'au temps… Elle se dissolvait, dans les
atomes d'air, de grès et d'Indiens morts… Mais ici, dans
ce canyon, il n'y aurait pas de réveil déçu : elle en res-
sortirait comme d'un bain de connaissance…

C'était à ça que servait le guide, finalement : à
ramener jusqu'à leur chambre les touristes titubantes.
Au bar du motel, pendant qu'une *breaking news* montrait
Nancy Reagan buvant du thé avec Raïssa Gorbatchev,

Barry lui raconta que ses ancêtres venaient se recueillir au canyon de Schelling. C'était un lieu sacré, qu'ils nommaient leur maison. Ils y étaient nés, le souffle de leur vie y avait été créé, et ils venaient respirer l'origine. Barry traça une spirale sur la buée de son Coca Light et en tapota gravement le centre : « Nous sommes tous nés du tourbillon, et tous nous y retournerons. » Il avait les yeux verts dans un visage brun, ce con d'Indien, et il la fixait avec cet air de dignité douloureuse de tous les peuples bafoués. « L'eau de la sagesse coule dans la rivière, mais tout le monde ne sait pas la boire. »

Elle était collante de poussière, la piscine clapotait à trois mètres, et elle pensait à ce type, à Paris, un Patagon avec qui elle avait passé une nuit prometteuse, et qui lui avait raconté au comptoir d'un bistrot une blague kilométrique sur le secret de la vie.

Après un épisode laborieux, plein d'ennui et de malentendus, elle se réveilla auprès de ce Barry, l'être le plus assommant de tout l'hémisphère Nord. Sur la télé de la chambre, Raïssa Gorbatchev et Nancy Reagan buvaient leur thé en boucle. Diego, il s'appelait, le Patagon, l'autre. Plus tard, lavée et baignée, séchant au vent de la climatisation, elle composa son numéro. Lui raconter qu'elle était dans un motel à l'autre bout du monde, à jouer aux petits Indiens, était sans doute déplacé. Elle lui demanda plutôt de lui redire la blague. Il l'envoya gentiment paître. Là-bas, à Paris, à l'autre bout du monde, il était trois heures du matin.

Le mariage était le seul antidote durable à la psychologie. Elle avait fait de la psychologie jusque vers vingt-cinq ans, ensuite elle avait fait une psychanalyse, publié des livres et trouvé un mari. Après toutes ces années de psychologie, passées à tout expliquer par la psychologie, après ces années où – pour le dire vite – son activité la plus personnalisée était d'attendre les coups de fil de garçons qui n'appelaient jamais, et parallèlement d'attirer quantité de barjots, après ces années consternantes, elle prit des cours d'un art martial ultraviolent, un mélange de boxe thaïe et de lutte géorgienne. Elle apprit à tuer du revers de la main, acheva son analyse, eut quelques amants agréables et rencontra Diego au comptoir d'un bistrot.

III

La Langue

Le magasin de décoration ferme de midi à quinze heures. Le pays a gardé son rythme. J'attends.

Au Starbucks Café de B.Nord, devant mon double express serré (mauvais pour le bébé), j'écoute mes semblables parler la vieille langue.

Dans les chaînes de grands hôtels, partout sur la planète, on retrouve la même chambre ; de même, dans tous les Starbucks on se sent chez soi. Un chez-soi où d'autres clients lisent le journal, allongent les jambes, bavardent, téléphonent, tapent sur un clavier : un terminal d'aéroport.

Je bois mon café dans le vide. Je regarde les gens. Ils ont l'air parfaitement normaux. Personne ne prête attention à moi, personne ne m'adresse la parole. La vieille langue est vivante. Elle ne sort pas tout armée de la bouche d'une institutrice militante. Elle n'est pas articulée par un chanteur folklorique. Elle n'est pas poétisée par Unama. Elle n'est ni le conservatoire du pays, ni le reliquaire des familles. Elle passe négligemment d'une bouche à l'autre. Les bouches s'ouvrent, se ferment. Les buveurs de café se parlent. Ils ont des choses à se dire. Le fluide qui transporte ces choses circule sans que nul ne semble y songer... repart, enfle, s'apaise... La langue est utile.

Il y a peut-être des moments où l'écoute est meilleure ; une attention fantôme qui permet de voir les spectres... comme devant un feu de cheminée, à rêver devant les flammes, on reste capable, en un sursaut, de redresser une bûche, de rassembler les charbons, d'attiser, de souffler...

Il me semble que si je restais là, à demi hébétée, à les regarder parler, la langue me prendrait : je la saurais, le temps d'un café. Je la laisserais m'imprégner et je repartirais riche d'elle, augmentée. Sa familiarité est douce, impersonnelle. La langue est dans le café, dans la ville, dans le pays.

Quand la télé locale avait émis ses premiers programmes, j'avais ri en voyant la bouche de

Bourvil et celle de Brando pleines de vieille langue. Et chaque fois qu'autour de moi quelqu'un s'y essayait, j'avais le même sentiment d'artifice. Peut-être parce que j'entendais la vieille langue comme la langue des autres, comme la patrie de ceux qui n'en avaient pas.

Depuis l'Indépendance, elle prenait la légitimité d'une fiancée enfin mariée, comme si le sol l'avait épousée en justes noces, avec enfants à naître dotés d'un nom et de papiers. Une dame respectable. Une dame qui ne s'énervait plus.

*

Elle avait vécu trente ans dans la vision du monde française. Elle commençait ses phrases par le sujet, puis elle énonçait le verbe, puis tous les compléments. Le français la sommait de préciser le genre des choses. Le masculin y dominait le féminin ; si toutes les femmes du monde venaient en compagnie d'un chien, ils étaient contraints, les femmes et le chien, de se soumettre au masculin : les femmes et le chien étaient bien obéissants.

Le français est une langue d'autorité. Le sujet, masculin, ordonne la phrase et s'appuie sur son verbe. Ce n'est en rien la langue du doute : *je pense donc je suis, je* reste premier. Les précisions de temps et de mode, l'espace, la couleur, la façon, l'intention, basculent en fin de phrase comme les moraines d'un glacier.

Les Yuoanguis riaient quand on leur expliquait que le français est une langue cartésienne. Une langue qui détermine les pronoms – *son vélo, sa bicyclette* – selon un hypothétique genre des objets (quand une voyelle initiale ne s'en mêle pas : *son escabeau, son échelle*). Une langue dont la logique – celle, par exemple, de l'accord des participes passés – reste impossible à maîtriser pour 90 % des scripteurs. Une langue à orthographe. Une langue comme toutes les langues, ni mieux ni moins mal bricolée, mais une langue régnante qui, avec l'espagnol, avait presque réussi à absorber l'espace de la vieille langue.

Depuis l'Indépendance, la vieille langue pouvait enfler, s'écrire, se nuancer. Elle pouvait aussi mourir. Elle avait la place et le temps. C'était un moment de l'histoire du pays où un grand lecteur pouvait dire : « J'ai lu toute la littérature yuoanguie. »

Le français littéraire restait une arme géostratégique ; prestigieux sur les campus et dans les bibliothèques, son passé était riche ; son avenir restait celui d'une langue d'écrivain.

La langue yuoanguie était une arme d'un autre modèle – une langue idéale pour le Nobel. Une langue d'opprimés, une ancienne langue orale qui était une langue neuve pour la littérature. Ni patois ni dialecte, ni papou ni pygmée, elle avait résonné sur le socle eurasien bien avant que les Indo-Européens n'y tentent leur premier *areuh*.

Le Fonds d'Aide à la Traduction était un organisme de promotion nationale. Il n'existait pas au pays d'écrivain sans emploi. Les aînés s'étaient battus pour sauver le domaine, les cadets s'employaient à le faire fructifier. La grâce des subventions transformait beaucoup de journalistes en écrivains nationaux.

Dans ses moments de fatigue, elle enviait les écrivains d'ici. Ils héritaient de la littérature mondiale, et tout leur restait à inventer. Mais sans pays à défendre, sans langue à sauvegarder, seule devant sa page, elle était libre. La langue était une contrainte à dépasser, comme le sol, comme l'histoire. Tant qu'il restait des mots, dans quelque langue que ce soit, on pourrait encore les assembler à neuf pour décrire le monde, et en repousser les limites.

*

Le magasin de déco est dans la grande rue piétonne de B. Nord. Elle s'appelait autrefois la rue de la République, son nom en vieille langue ne me dit rien. Les pavés ont été refaits, la bordure des trottoirs est en pierre de Glyphe. Sur le parvis de la cathédrale flotte le cercle des étoiles européennes et le drapeau yuoangui. Le magasin d'articles religieux n'a pas bougé. Vierges coiffées de vrais cheveux. Odeur de l'encens. En fermant les yeux, je suis au milieu de la rue grise avec ses colombages fanés et je me rends au cloître de la cathédrale, sous les palmiers protégés du vent, un endroit tranquille pour fumer du haschisch et imaginer l'avenir ailleurs. Aujourd'hui les boutiques aux colombages repeints sont des épiceries fines, piments doux et bocaux de morue sauce verte ; il y a la même boutique pour enfants que place Saint-Sulpice, et les habituelles enseignes européennes.

Je pousse la porte du magasin de déco, *ding dong*, et j'entre dans la classe de quatrième espagnol 2e langue : Christelle est derrière la caisse.

Un sourire s'est bloqué sur mes lèvres comme un écarteur chirurgical. Ma copine d'autrefois. Elle ne s'appelle plus Christelle, mais un prénom en vieille langue, que j'entends mal, et qui signifie, me dit-elle, Hirondelle. Nous recourons toutes deux aux phrases qu'on utilise en français pour les occasions de retrouvailles. Il vaudrait peut-être mieux s'asseoir et ne rien dire, penser à ce qui nous lie, au temps, aux lieux, et fumer, comme les Sioux, pour s'occuper la bouche.

Des nouvelles, mariage et enfants. Il faudra qu'on passe les voir, à C. Ouest, avec le petit. Avec *les* petits ? Félicitations. Ça commence à se voir, en effet. Des dauphins et des petits bateaux ? Difficile à trouver. Elle a des ours. En rose et orange. Et aussi de jolis bougeoirs en cuivre.

La rue anciennement de la République monte et descend autour de moi. Je pourrais rester là, immobile, mes ours et mes bougeoirs à la main, dans le verdict des rues natales. Je pense à la place Saint-Sulpice et à la civilisation. Je pense à mes amis à Paris et à Londres, je pense aux villes où j'ai des liens. Je suis dans la rue anciennement de la République, celle qui monte en courbe vers la cathédrale de B.Nord, et dont je ne sais pas prononcer le nom aujourd'hui. Ce soir je vais téléphoner à chacun de mes amis, à Walid, à Lou, à Glen, et leur demander des nouvelles.

Des gens passent autour de moi. Je ne reconnais personne, pourtant montent et descendent, avec une inquiétante régularité, des connaissances. Teint clair, grand front, fortes mâchoires : hommes et femmes de ce pays, si peu mélangé qu'un rhésus en caractériserait le sang, O – disent-ils ; et un portrait génétique, une forme de nez, un lobe d'oreille : comme dans cette série américaine désuète, où les extraterrestres sont reconnaissables à leur auriculaire très court. Pierre Loti, dans son folklorique amour pour le pays, eut la lubie d'une descendance yuoanguie. En novembre 1893 le Dr Durruty lui trouva Crucita Gainza, qui lui vêla docilement trois petits.

*

Stéphane, il s'appelait, en français, et quelque chose comme Urs ou Urus en vieille langue. Elle portait une jupe trop légère pour la saison, le porte-bagages de la mobylette lui sciait l'intérieur des cuisses, et elle avait la sensation que son jeune vagin si récemment ouvert survolait la route comme un œil agrandi, étonné, par lequel s'engouffrait le monde.

C'était il y a plus de la moitié de sa vie. Le concert avait lieu dans un de ces villages auxquels on accédait par une piste. Bêtes endormies, fougère dans les hauteurs, maïs jeune dans les creux. Au bout du village, noir, sans réverbères, il fallait laisser la mobylette, prendre un sentier et suivre d'autres ombres. Internet n'existait pas, ni les téléphones portables, mais le pays était petit et la date du concert avait circulé de bouche en bouche, de bled en bled. De plus en plus de monde apparaissait sous les arbres, dans cette ambiance cotonneuse des eucalyptus la nuit… dans leur odeur de médicament… de plus en plus de monde montait, ça chuchotait en vieille langue, et tout à coup ils s'étaient retrouvés des centaines, peut-être des milliers, sous une haute dalle de pierre, comme un dolmen géant.

La scène occupait le fond de la grotte. Groupe électrogène, baffles et braseros, autour desquels on fumait, serrés, debout. Les visages étaient adultes et graves. Seulement des hommes – à mieux y regarder, dans les jeans étroits et les lourdes godasses il y avait aussi des filles. Mais dans ce lieu où les sorcières fuyaient l'Inquisition, dans ce que la forêt avait d'intuitivement féminin, le concert indépendantiste creusait une enclave virile. Ce modèle-là de nationalisme, généralisant et tiers-mondiste, ne faisait pas dans l'altérité.

La musique commença, cognant dans la poitrine, sautant aux jambes, explosive et musculaire. Tendons, nerfs, coronaires. Ils chantaient, ils dansaient et buvaient de la bière. « *Des blessures pour tout héritage* » lui hurlait Stéphane en traduisant. Stéphane-Urus devenait suffisamment étrange et exalté, elle était suffisamment excitée elle-même, pour se laisser gagner par le dolorisme de cette musique. Mais le rythme ne l'ancrait pas au sol, il la faisait flotter. C'était comme être athée dans une assemblée de fidèles, n'avoir pas bu dans une orgie d'alcool ou ne pas jouir dans les bras d'un amant magnifique, ce qui était d'ailleurs son cas à l'époque. Elle simulait donc, navrée, émue malgré tout, inquiète, elle simulait par réflexe, sa compétence dans ce domaine semblait illimitée. Elle dansait et mimait un play-back de paroles, elle souriait ; elle avait autant peur de prendre un mauvais coup dans le pogo que d'être démasquée.

Elle avait seize ans, elle aurait préféré que Stéphane-Urus lui parle d'elle plutôt que du pays, et que par « nous » il entende « nous deux ».

Ceux qui étaient assemblés ici étaient en colère et souffraient. Elle pouvait toujours leur objecter, dans sa langue, que leur souffrance n'existait pas : ç'aurait été comme affirmer que le sol est en haut et le ciel en bas.

Quand ils quittèrent le pays – ses parents, Pablo, et elle – et qu'à la télévision française elle vit flotter le drapeau yuoangui sur un bâtiment officiel, elle se dit que ça y était, qu'on allait pouvoir se parler et avoir le cœur léger. Mais elle mit vingt ans à rentrer, au point qu'il ne s'agissait plus de rentrer mais d'entreprendre un nouvel exil.

*

Des ours, en orange et prune. Au pochoir. Je reprends ma voiture, je tourne le volant sans y penser – la Corniche, la vue. La mer se dresse à la

verticale : immense, vide, sonore. Des bulles se déplacent dans mon ventre, roulant et replongeant : dos arqués de baleines et de cachalots. Je suis pleine d'une nombreuse faune. Je suis un paysage rempli d'animaux, je suis un pays amniotique. Je baisse la vitre pour que ma fille profite bien de l'air marin. En charge de ma passagère, au volant de ma voiture, ça fait un joli emboîtement, l'Univers, la Terre, l'Europe, le Pays, une voiture, un corps, un utérus, et des petites bulles qui tournent.

*

Quant à la langue, les Français sont des enfants. Langue, en français, est l'anagramme de lagune. Les Français baignent dans leur français comme dans une mer originelle. Ils s'y promènent comme dans la nature. Voyagent-ils, leur saute aux oreilles cette anomalie que la planète ne parle pas français. Ils articulent, ils forcent la voix devant ces sourds de Finlandais, ces Turcs bouchés et ces cons d'Américains, tous pareillement enclos dans leur langue, à trois millions ou à trois cents millions.

Elle roulait sur les routes du pays, de la Corniche à la Transfrontalière aux boulevards des plages à la rue des écoles. Elle traversait des forêts paysagées. Elle longeait des digues rebâties et des marécages asséchés. Elle découvrait de nouveaux lotissements. Elle tombait sur des golfs. Elle se garait dans des centres commerciaux. Des heures se passaient en voiture. Elle avait oublié que c'était ça, la « province » : une urbanisation sans ville ; des routes et non des rues ; des kilomètres d'un point à un autre, école, supermarché, magasin de bricolage... Densité merveilleuse de Paris, métro merveilleux, autobus merveilleux, sainte RATP ! Elle avait dû pousser jusqu'à Polita, la station balnéaire la plus chic, pour trouver des vêtements de grossesse qui ne soient pas des sacs. Sa scène musicale, avait-elle découvert, en avait fait une ville *pop* et atmosphérique, un peu comme Brighton ou Reykjavík ; mais s'il y avait dix bars, c'était le bout du monde.

La nostalgie des capitales montait avec les kilomètres. L'habitacle de la voiture devenait une cabine à méditer, une petite cabine à être seule et à rêver... Elle avait choisi Paris, des années auparavant, pour recouvrer un centre. Elle ne connaissait que deux remèdes à la solitude : être enceinte, ou se sentir au centre du monde, c'est-à-dire dans un lieu qui vous tient compagnie. Les centres se déplacent dans l'espace et le temps, ils correspondent parfois aux capitales, parfois aux bords de mer ou aux montagnes, ils peuvent se confondre avec les croisements de l'Histoire, mais il ne sont pas très nombreux.

Machiavel, ambassadeur de Florence, se présente à la cour du roi de France, mais Louis XII n'est pas là. Il est à la chasse, parce que Florence n'est rien. « Nihil », a dit le roi : son ambassadeur peut attendre. Pas d'armée, pas de puissance, *Florence zéro divisions* : Machiavel découvre qu'il vient d'un non-lieu, du néant. L'ambassadeur de l'insignifiance est dévasté. Il repense sa conception du monde et de la politique, il se rencentre, il se machiavélise.

Elle soupçonnait, à son volant, que si Machiavel ce jour-là avait été une Machiavelle enceinte, la phrase de Louis XII aurait glissé sur la courbe de son ventre comme l'amusante bourde d'un rustre.

*

Je tapissais et découpais et peignais des ours au pochoir. C'était ce que j'avais trouvé à faire. Ma fille aurait des ours. Elle naîtrait au pays. Elle ferait partie des statistiques du pays, deux millions d'habitants + une = deux millions et un habitants, deux millions et une habitante. Elle aurait un deuxième prénom yuoangui qui deviendrait son prénom usuel si elle le souhaitait. Elle parlerait la vieille langue, comme Tiot, comme toutes ces petites éponges à mots. Elle mènerait des vies

parallèles, une à l'école, une à la maison, ni plus ni moins peut-être que tout enfant scolarisé.

L'institutrice de Tiot continuait à me narguer, mais ça commençait à entrer sous mon crâne, les *au revoir* et les *merci* et les *pardon je ne comprends pas*. Cependant, dans la série de sons du « je ne comprends pas », j'ignorais où était le verbe, où était le sujet. Comment une syntaxe trouvait-elle à se loger dans ce long souffle en fond de gorge ? Était-ce une phrase, ou un seul mot ? Une onomatopée ? Avaient-ils un mot, d'ailleurs, pour « onomatopée », étaient-ils parvenus à cette complexité ? Ils avaient des écrivains, je les rencontrais. Ils avaient des livres, je les feuilletais. Mais comment cet assemblage de syllabes opaques pouvait-il ordonner le monde que je connaissais, le monde des nuances ?

Tiot rapportait de l'école des colliers de coquillettes et des bouts de récits. Il cherchait à les traduire pour nous, ses parents déficients. À chaque sortie d'école je le soustrayais à la cacophonie. Un moment d'étonnement, quelques jours de panique, même, devant ce qui sortait des bouches, et j'aurais su le rassurer, être la mère qui convenait. Mais il savait déjà que la langue est un hasard – lieu, histoire, famille. Il faisait ses premiers pas dans l'espagnol de son père quand nous avons quitté Paris : une colonne de plus à la diversité du monde n'était pas un problème. Les mots étaient les portants d'un système qui se ramifiait et se complexifiait de jour en jour, lent d'abord, puis à une allure prodigieuse. On voyait le monde croître et rayonner autour de Tiot.

Que l'on dise bonjour ou *un autre mot*, maman ou *un autre mot*, eau ou *un autre mot*, son cerveau de trente mois trouvait tout naturel. On mangeait avec une cuillère, le ciel était bleu et l'herbe verte, la mer était grande et les flaques petites. Le frigo était plein, les images bougeaient dans les ordinateurs et les télévisions, les chiens faisaient pipi dehors et les humains dans des toilettes. Tout nouvel élément n'était qu'une donnée à stocker et à organiser. Et la berceuse des provinces perdues, « *Orléans, Beaugency, Notre-Dame de Cléry* » lui était une langue étrangère ni plus ni moins que les berceuses du pays.

Non, le problème, c'était moi. Je n'avais pas vu le moment venir, où je me transformerais en mamma, en fatma ; en une immigrée récente comme j'en croisais à Paris, trimballées par un jeune enfant de la Poste à la boulangerie. L'enfant s'adressait à la guichetière. L'enfant achetait le pain. La mère, en retrait, n'osait ni bonjour ni merci, de peur d'abîmer les mots dans sa bouche incapable, et d'attirer l'opprobre sur le fils. Tiot achetait le pain. Tiot opinait devant l'institutrice et se tournait vers moi : « *Rouge*, le tablier. » Je disais « du lait » à Tiot et des sons sortaient de sa bouche et la fermière lui tendait la bouteille, et il me la tendait, ensuite. L'objet du monde isolé par ces sons m'arrivait dans la main plein d'une magie noire, une potion qui retenait Tiot dans un cercle ésotérique.

Au début Tiot était fier. Quand il comprit que ce n'était pas un jeu, mon handicap le consterna. Il devint soucieux et limita ses phrases. D'ailleurs il ne parlait plus de m'épouser. À la place, il réclamait à nouveau des couches. La maîtresse le trouvait perturbé. Mais après tout, il allait bientôt devenir frère, et dans le monde où je vivais il y avait de quoi se poser des questions.

*

Chaque jour une langue se perd dans le monde. Chaque jour meurt un vieux quelconque qui connaissait une dernière phrase de kek ou de nimiche. Chaque jour courent les ethnologues avec des magnétophones, pour capturer les bouches qui parlent encore. Chaque jour le monde rétrécit, sa version araméenne ne s'énonce plus et sa version arapaho est en train de disparaître.

Aîné et ses amis yuoanguis cherchaient à l'enfermer dans leur communauté tragique : dépossédés de la langue de leurs parents, nés dans un pays où demander son chemin en vieille langue était perçu comme une provocation, où scolariser ses enfants en vieille langue était déjà un attentat. Mais elle voulait rester un individu. Aîné se mêlait d'une histoire familiale, névrotique, non historique.

D'ailleurs plus personne ne parlait comme Molière, Cervantès, et Shakespeare. Un espéranto de cinq cents mots anglo-saxons libérait enfin la planète de sa babélisation.

Et c'était voir l'histoire comme une paisible série de legs, que de nommer *langue maternelle* la langue de la fille et du fils. La langue maternelle est la langue que parle la mère, c'est la langue du secret de la mère. Le français, au moins, séparait de la famille. Paris – petite elle ne rêvait que de Paris. Le français était limpide, moderne, puissant. Télévisé, enseigné, imprimé. Le français poussait même ses frontières au-delà de l'océan !

Mais ce sont les pêcheurs yuoanguis, insistait Aîné, qui ont découvert l'Amérique à la poursuite des baleines. Ils ont, les premiers, commercé avec les Indiens, et ceux qui plus tard tirèrent la couverture à eux entendirent Algonquins et Micmacs parler la vieille langue !

« Tu es un écrivain yuoangui comme un escargot est un escargot » lui répétait-il. Aîné parlait du sol, parlait du sang. Disait que le Tibétain dans son tibétain n'est pas comme le Chinois dans son chinois. Parlait du père et de la mère, invoquait les aïeux. Être née sur tel sol de tel et tel parent, eux-mêmes nés sur ce sol de tels et tels parents – et ainsi remonter jusqu'à quelles amibes ? Elle se voulait un écrivain européen – on n'allait pas la réduire à un petit pays ?

*

Je peignais des ours au pochoir, un ours tous les dix centimètres, en mauve et orange vif, comme c'était la mode. Sur le fond rose pâle, je trouvais ça joli. Une jolie frise d'ours. J'ai entendu une sonnerie, je n'ai pas compris tout de suite : depuis notre emménagement, nous avions très peu de visites.

Quelqu'un se tenait debout dans le salon. J'ai sursauté et le bébé a fait *toc toc* sous mon plafond comme un locataire mécontent. « Pardon » m'a dit l'intrus, mais c'est tout ce que j'ai saisi de son laïus en vieille langue. À Paris il y a des interphones, des codes, des ascenseurs à clé, des grooms automa-

tiques. Je me rappelais, petite, au pays, les représentants en encyclopédies qui venaient jusque dans les chambres, les voisins demandeurs d'allumettes, et les enfants vendeurs de calendriers en soutien aux indépendantistes. Le défilé n'arrêtait pas. Mais à Paris aussi je voyais parfois un homme debout, dans le salon, qui m'attendait. « Je t'attends » me disait-il.

« Je suis venu vous apporter la paix du Seigneur » m'annonça celui-ci, l'air fou de joie, en français. Ses yeux voletaient dans le salon, s'égaraient sur le carton qui servait de table basse et sur le petit tas, posé dessus, de trucs qu'on ne sait jamais où ranger, bougies encore bonnes, télécommande cassée mais réparable, pied de lampe sans abat-jour, sandales neuves mais trop petites.

« Le monde dans lequel nous vivons est très angoissant » m'assura-t-il.

Je pensais à mes ours, qui séchaient.

« Un peu moins qu'au Moyen Âge », tentai-je.

Il regardait les reliefs sous ma salopette. J'étais à ce moment de la grossesse où ce qui saute aux yeux, ce sont les seins, pas le ventre. Pamela Anderson, c'était moi. L'air doux entrait par les portes-fenêtres, des risées couraient sur la piscine et les montagnes se dissolvaient dans la brume. Le

149

fantôme de Sharon Tate éventrée par Charles Manson est passé entre nous mais j'ai posé mon pinceau sur le carton, j'ai essuyé mes doigts sur ma salopette et j'ai proposé que nous nous asseyions. Le monde semblait à peu près fiable.

« Quel beau temps pour novembre » soupira le porteur de bonne parole. Il avait l'air content d'être assis. Ça ne devait pas lui arriver souvent. Il faisait une pause. Puis – il me fit penser à mon frère – un compte à rebours dut tomber à zéro dans sa tête, parce qu'il fouilla mécaniquement sa veste et en sortit une petite Bible.

« Il y a beaucoup de charlatans, commença-t-il. Beaucoup ont annoncé la fin du monde à des fins mercantiles. Je viens pour le salut de votre âme. *Memento mori*! Je ne vous annonce pas le ravage par les flammes ou par l'eau. Je vous annonce le temps des morts. Préparez-vous, car ils reviennent! Ils viennent nous enseigner ce que nous ignorons. Par les rues et par les routes, ils nous ouvriront la voie vers le Seigneur. »

Cette histoire de morts m'intéressait.

« On les reconnaîtra comment? » demandai-je.

Je supposais que *La Nuit des morts-vivants* n'était pas sa référence.

« Nous marcherons dans l'herbe mais l'herbe ne sera pas l'herbe. Ce que nous verrons par la fenêtre ne sera pas ce qu'il y a dehors. Le fils ne sera pas l'enfant du père. L'invisible sera visible et les corps se transformeront. »

Il souriait aimablement. Il s'était servi si souvent de ces phrases qu'elles s'étaient usées au fond de ses poches, peluches et bouts de laine.

Ma mère m'avait dit que le pays était infesté de sectes et de monastères. Des touristes spirituels venaient en nombre y faire retraite. On trouvait sur la Glyphe des spirales de pierres au centre desquelles se tenaient d'assez gentils sabbats. Le *must*, c'était de se réunir dans les anciens tumulus.

« C'est l'effet *nouveau pays*, disait ma mère. Comme les îles ou les déserts. Attirent les fous et les rêveurs, les recommenceurs à zéro. »

« Prenez les truites, continuait mon visiteur. Elles changent de sexe. Toutes ces femmes qui prennent la pilule. Leur urine coule dans les rivières, aucune station d'épuration ne peut détruire les hormones. Alors les truites deviennent hermaphrodites. Même quand elles réussissent à pondre, leurs alevins sont des mutants. Mais la truite que vous pêchez, vous, que vous mangez, vous ne voyez pas la différence. Or c'est un signe. Nous sommes les truites, nous courons à notre perte. La fin du monde approche. Les signes sont là. Ce sont les morts qui nous font signe. »

Avec une petite brosse je frottais un bâtonnet de couleur au-dessus de pochoirs, et des ours apparaissaient. J'avais gentiment mis dehors mon prophète, et je l'avais vu sonner chez le voisin. Il me permettrait de me souvenir de cette journée ; il avait fait une encoche dans ce temps diffus où je décorais la chambre de ma fille ; une visitation : c'était son don à lui. Un archange bénin. Une proposition pour la mémoire.

*

Une terre, ça appartient à quelqu'un. Un territoire, ça se dit même pour les animaux. « Territoire cheyenne » pour laisser les Indiens sans terre, « territoires d'outremer » pour n'être pas émancipés. On est d'une terre. La terre est le sol où on enterre ses morts. Les États sont là pour que les terres existent, et que les territoires n'existent pas.

Un sol, c'est un morceau superficiel de l'écorce terrestre. Composé d'éléments chimiques quantifiables et exploitables. *Le Pays Yuoangui*, dit le dictionnaire, *a une*

152

industrie forte grâce au sous-sol (plomb, zinc, minerai de fer). Mais le sol, c'est aussi le lieu au-dessus duquel s'ouvre l'utérus des femmes. Le girafon nouveau-né tombe d'environ un mètre cinquante de haut ; le nourrisson humain, là où il échoit, là est son pays. La matrice détermine la patrie. Par le sexe des femmes le sol devient national.

Un pays, ça dispose d'un État. Ça a des traditions frontalières. Ça mène des guerres officielles. Ça contient souvent une nation, parfois plusieurs. Ça forme un paysage. Ça supporte les conflits, sauf en Afrique et dans les Balkans. Le pays yuoangui s'était toujours appelé *Pays Yuoangui* dans toutes les langues autres que la vieille langue. Le pays sans nom, que les nations nommaient pays en lui niant être un pays. Un endroit qui n'existait pas ? Le pays où l'on n'arrive jamais ? Tout Yuoangui qui se réclamait de son pays perdait nécessairement un peu de sa raison. Tout Yuoangui qui revendiquait lui faisait peur, petite, comme on a peur des fous.

*

Je fignolais mes ours. Je ne faisais rien. Je laissais venir un livre et un enfant. Rien dans mes journées ne prêtait au récit. Assise à mon bureau, je regardais glisser sur mes rétines humides les

poussières en bâtonnets. Elles avaient tendance à descendre vers la gauche. J'acquérais une conscience aiguë de la sphéricité de mes yeux. Ce genre de choses.

Un jour, à Paris, un photographe m'avait rendu visite. Il travaillait, m'expliqua-t-il, à une qualité de lumière qui aurait rendu mieux perceptibles, dans notre champ de vision, ces hôtes de poussière. Ces phrases avaient suffi à ce que nous devenions amants. Mais ici je ne faisais rien. J'étais seule. J'imaginais régler un appareil photo sur un temps de pose si long, si long, que – trop remuante même à ma chaise – je disparaîtrais, pendant qu'apparaîtraient les spectres : le lent mouvement du soleil les donnerait à voir, dans la déposition de la poussière, l'usure immobile des murs...

J'étais diluée dans une flaque de temps. Un visiteur distrait aurait trouvé la maison vide. Quand le téléphone sonnait je me rematérialisais. Ma voix me précédait, on me demandait si on me réveillait. Après l'agitation du matin, petit-déjeuner et trajets, je revenais vers la maison comme on retrouve des draps. J'attendais la sortie de l'école et la tombée de la nuit, pour aller repêcher l'un et l'autre de mes hommes. Ma grand-mère Amona avait vécu à un rythme semblable. Guetter l'ouverture de la Poste occupait une partie de sa journée ; aller poster sa lettre occupait l'autre.

Les phrases se formaient dans ma tête, images par images, avant les mots. *Le Pays* lentement se laissait prendre.

« La vie est une rivière », disait le vieux sage au disciple qui avait tout quitté pour venir à sa rencontre, traversant les mers, les montagnes et les vallées en quête du secret de la vie. « La vie est une rivière » annonçait, en lévitation, le vieux sage au sommet de la montagne, au disciple qui avait quitté travail, femme et enfants, vendu ses actions et résilié ses abonnements pour accéder au grand secret. « La vie est une rivière » murmurait, en fermant les yeux, le vieil ascète qui se nourrissait de sept olives par jour, huit auraient été de la gourmandise et six de l'orgueil.

– Attendez, protestait le disciple, je n'ai pas fait tout ce chemin pour m'entendre dire que la vie est une rivière ?

Le vieux ouvrait des yeux ahuris :

– Comment ?… la vie n'est pas une rivière ?…

Je gloussais dans ma voiture pendant que je sillonnais le pays, je gloussais en repensant à la blague de Diego. Diego, mon mari, que je déposais

155

tous les matins au travail après avoir laissé Tiot à l'école. De ma vie je n'avais passé autant de temps dans une voiture, il allait falloir se résoudre à en acheter une deuxième. Alors, dans les trajets, j'écoutais une méthode de vieille langue. *Je m'appelle Marie Rivière, je suis la femme de Diego et la mère de Tiot ; j'écris des livres et je conduis mon auto.* Des phrases simples où s'esquissait mon pedigree yuoangui, aussi basique que celui des poupées qui parlent, avec le paysage qui défilait par les fenêtres. Les vagues de décembre frappaient la côte, la mer était belle, sauvage. J'apprenais, j'apprenais dans ces phrases que le temps et l'espace découpent d'abord un monde avec des couleurs, une manière, un climat ; que le verbe le fend d'une action, et que le sujet, en bout de chaîne, l'ancre dans un corps dont le sexe n'est pas dit. Locuteurs neutres, objets sans genre.

Je m'appliquais dans les virages et sur le gravillon des pistes, l'accès de Diego à son boulot était parfois incommode, ç'aurait été trop bête de mourir maintenant. Je lui disais *fais attention* et nous nous embrassions, *à ce soir.*

*

Quand on était de B.Nord, on n'était pas de B.Sud. Quand on était de C.Ouest, on n'était pas de B. Nord. Pourtant le doute était pénible, que ces importantes nuances échappent au reste de la planète. Enfant, elle était fière de ce beau coin d'Europe ; tôt cependant elle eut le soupçon que le pays était petit en taille mais aussi en aura. Elle pensait que le jambon de B.Nord, au moins, était mondialement célèbre ; mais il lui suffit, plus tard, de se déplacer vers l'Est ou le Nord – a fortiori vers le Sud musulman – pour s'apercevoir que la charcuterie B.Nordiste n'était pas une valeur si sûre, et que York, Aoste ou Francfort lui étaient de sérieux concurrents.

Des touristes venaient, certes ; mais ils ne s'intéressaient qu'aux plages ; la douceur du climat était le trait local qui leur souciait le plus. Aucun Asiatique ne poussait jusqu'ici ; et les rares Américains venaient pour les corridas, tradition espagnole. Peu d'immigrés, et vieillissants, galiciens et portugais ; les seuls Africains étaient des camelots attirés par les *ferias*. Aîné, citant les hauts faits yuoanguis de la Guerra Civil et de la Résistance, disait qu'ignorer un peuple était plus facile que de lui devoir quelque chose. Pourtant de Gaulle était venu jusqu'à Ur rendre hommage, et Churchill aussi !

Avant l'Indépendance, la violence impliquait Paris et Madrid ; résonnait jusqu'à Barcelone, s'entendait jusqu'à Belfast peut-être, par empathie. Guère plus loin. Rien, chez les Yuoanguis, ne semblait nulle part très grave. Les Yuoanguis étaient riches, ils avaient un joli bord de mer, ils n'étaient ni tués en masse ni déportés, et leur passé était passé. Surtout, ils n'existaient pas. Dès qu'elle fut à Paris, il lui fut très facile de s'en convaincre. Il y avait des centres et des évidences, des lieux communs mondialisés. Les Yuoanguis étaient terriblement périphériques.

Quand elle partit à Londres puis à New York, elle comprit que le pays où elle était née, que son sol même, n'existait pas. Il fallait sans cesse expliquer, situer, introduire du jeu dans le déterminant « française ». Les nuances sur l'origine impatientaient. Elle abandonna. Être d'une minorité pouvait, dans certaines sociétés, présenter quelques avantages; mais la minorité yuoanguie, personne ne voyait. Les Yuoanguis n'existaient pas hors de leurs frontières. Mais ces frontières n'existaient pas.

*

La mer n'avait pas cessé d'être forte, depuis notre installation. La houle poussait des droites magnifiques, le solstice nous basculait vers l'hiver. Je m'appelle Marie Rivière, je conduis mon auto, je suis la femme de Diego et la sœur de Pablo. Je suis le fils de De Gaulle, disait Pablo. *El generalito.*

Le métier de mon mari dépend tellement de la météo que ma mère s'était proposée pour m'accompagner, à l'échographie de la vingtième-deuxième semaine. Officiellement c'était une mesure de piété familiale : cette échographie est cruciale, n'y apprend-on pas, parfois, de terribles nouvelles, des bébés monstrueux mais qu'on aimait déjà ? « De mon temps l'échographie n'existait pas » : ma mère n'avait jamais vu un bébé de l'intérieur. J'imaginais déjà la sculpture.

Je lui en voulais, à mon mari, mais que faire contre la météo ? Ma mère avait insisté pour prendre le volant, j'étais à la place du mort. « Tu conduis trop », me disait-elle, secousses et gravillons. Pourtant nul besoin de vieux sage pour savoir qu'une échographie pelvienne ne se fait pas avec sa maman. Surtout ma mère à moi, la mère d'un fou et la mère d'un mort, qui bavardait sans cesse, et se taisait à leur propos.

Nous voici Miren et Marie sur les routes du pays. J'avais docilement glissé ma ceinture sous mon ventre ; j'étais bien persuadée qu'en cas de choc la précaution serait vaine, que la ceinture écraserait Épiphanie, mais ma mère gardait l'œil dessus et la repositionnait, pire que mon mari.

— Regarde la route ! lui intimais-je,
— *Épiphanie…* soupirait ma mère,
— C'est son nom, coupais-je,
— Marie c'est si joli, bêtifiait-elle,
— Pablo aussi, assénais-je,
— Pablo aussi, concédait-elle,
— Et Paul, insistais-je,
— Attends de savoir le sexe, grommelait-elle,
— Si c'est un garçon ce sera Paul, mentais-je,
— Tu as une chance sur deux, sifflait ma mère,

et la discussion était close, comme elle l'avait toujours été à l'évocation de mes problématiques frères.

Mais le démon me tenait, le démon de Paul et Pablo, il fallait que j'y retourne, que je trouve une phrase, que je soulève encore une pierre pour voir ce qui grouillait dessous, comme si une phrase pouvait, quoi, rendre la raison à celui qui était fou, rendre la présence à celui qui était mort — une phrase magique, un mot, qu'elle m'aurait dit, ma mère, dont la bouche était un tombeau —

nous roulions vers B.Nord, embouteillages, nous cherchions où nous garer dans le quartier des Arènes, villas de toubibs, notaires, échographes...

– *Épiphanie*, Diego est d'accord?
– Ne mêle pas mon mari à ça!

Et nous nous taisions de nouveau.

*

Elle avait fini de peindre et de ranger les cartons, et elle regardait la télévision. Temps merveilleux de la grossesse : ne faisant rien, elle faisait quelque chose. Elle prêtait ses forces, son souffle et ses atomes à la formation lente de quelqu'un. *Brood* dit l'anglais pour « couver » et pour « méditer ». Rêver et être posée là.

Alors elle restait là, devant des épisodes de *Star Trek* en vieille langue. Outre le côté comique du capitaine Kirk parlant comme sa grand-mère, elle les connaissait si bien qu'elle entendait les dialogues à même son cerveau. Celui où le téléporteur tombe en panne, et où le capitaine et sa fidèle assistante errent, atomisés, en attendant que la machine les recompose. Celui des deux planètes parvenues à un tel degré de civilisation que leur guerre est gérée par ordinateur : des bombes virtuelles s'abattent sur les villes, et les familles touchées, averties par courrier, sont désintégrées dans des centres spécialisés.

Sa grand-mère lui manquait. Amona. Sa main souvent se tendait vers le téléphone, pour renouer avec son trotte-menu d'octogénaire, de sa télé à sa fenêtre, dans les cris des martinets. Elle aurait voulu lui annoncer sa grossesse, lui parler de Tiot. Mais celui qui lui manquait surtout c'était Pablo. Il lui manquait comme s'il était mort, d'une mort sans enterrement. Lui téléphoner était aussi vain que lui taper la tête contre les murs. Il connaissait *Star Trek* mieux qu'elle quand il était petit. Où ce pan de mémoire était-il passé ? Comme si la schizophrénie bouchait des zones du cerveau, transformait des artères en impasses et des centres nerveux en terrains vagues. Cinquante-deux minutes de péripéties, *Star Trek* était désormais au-dessus de ses forces. Ce feuilleton d'après-guerre était pourtant un de leurs rares points de rencontre, avec leurs cinq années d'écart. Ils passaient de longs moments à évoquer des épisodes, à en goûter les astuces ; ils se lançaient un mot et restaient en suspens dans une image, la savourant mentalement, explorant ses implications. À l'époque la vidéo n'existait pas, leur mémoire seule rediffusait les épisodes, et l'un complétait ce que l'autre avait oublié.

Plus tard – Pablo était devenu fou et elle s'intéressait au fonctionnement du cerveau – elle avait ressenti une parenté confuse avec ces jumeaux autistes qui ne s'exprimaient que par nombres premiers, s'échangeant des chiffres à six rangs pour jouir de leur beauté, de leur singularité, ou de quoi d'inconcevable ? Un toubib leur avait lu des nombres premiers à sept rangs, et les jumeaux s'étaient pâmés.

Et depuis elle n'avait trouvé personne avec qui il soit aussi amusant de partager ces fastidieuses aventures de l'espace ; exactement comme certains souvenirs n'ont de sens qu'évoqués en famille. Évidemment qu'avec sa raison Pablo avait emporté un bout d'eux tous. Où étaient ces souvenirs, où étaient-ils, eux tous, maintenant que Pablo semblait avoir oublié ?

*

Je m'allongeai demi nue sur la table de l'échographe, demi nue du milieu, en chaussettes et tee-shirt. Ça nous ramenait à l'époque où ma mère changeait mes couches. Heureusement l'échographe l'avait accaparée, la saynète m'était limpide bien qu'en vieille langue : elles s'étaient déjà rencontrées, à un congrès art et médecine / à un dîner d'anciens lycéens / sur un

163

plateau télévisé (dans un petit pays la télé consomme du monde) ; et ma mère renvoyait élégamment les balles, accueillant les compliments avec simplicité, souriant sans arrogance ni fausse modestie : qualifiée pour les internationaux, revers du gauche, double axel, triple salto arrière et smash. Elle finit par me présenter du plat de la main : « ma fille », pour qu'on ne se trompe pas.

Épiphanie cabriolait pour son quart d'heure de célébrité. L'échographe enduisit mon ventre d'un gel froid et fit circuler le capteur – nous étions dans la pénombre d'un sous-marin, bruits de sonar. « Elle est écrivain » crut bon d'ajouter, gentiment, ma mère ; c'était la première phrase que je comprenais en yuoangui. Certes une phrase simple, attribut-verbe-désinence, mais pas sur une cassette, ni dans la bouche du capitaine Kirk : en vrai, dans la vraie vie, celle où on parle et où on parle de moi.

Ma mère, je le lui accordais, était plus connue que moi au pays. Sur le sujet hautement pathogène de la notoriété ma mère et moi restions aussi crispées que sur Paul et Pablo. Le match pour nous départager n'avait pas d'arbitre évident. Il aurait fallu coller bout à bout les articles de presse nous concernant, et mesurer la longueur des rouleaux, comme Chomsky comparant la couverture médiatique de la guerre du Vietnam et de celle du Timor-Oriental. Ou bien, peser tous mes livres, et empiler ses bronzes sur l'autre plateau de la balance. Ou encore, évaluer le trou causé d'un côté dans les forêts, de l'autre dans les mines de métal. Ou encore, faire un sondage à grande échelle, demander qui de nous deux était la plus connue – je ne dis pas la plus talentueuse, je compare ce qui est comparable.

Il aurait surtout fallu un havre, un pays accueillant la littérature et interdisant la sculpture. D'ailleurs il n'existait pas, à ma connaissance, de prix Nobel de sculpture. Ça devait bien vouloir dire quelque chose.

Puis je l'entendis d'un coup, ma fille, dans la friture et le clapot. Épiphanie, Épi-phanie. Son cœur battait. Petit poisson parmi les baleines. Et par-dessous il y avait mon cœur, deux fois plus lent comme il est normal. Ma-rie, Marie Rivière. Moi, et pas ma mère. Et sur l'écran elle est là, ma fille. Un profil surgi, immanquable. Un petit nez mutin, une bouche adorable...

– La colonne vertébrale, annonce l'échographe en français.

Le capteur glisse le long de mon flanc gauche. L'intérieur de mon ventre est un univers noir et blanc, floconneux, mouvant.

– Il bouge, dit l'échographe.

Elle enduit de gel une sonde vaginale et m'embroche ; heureusement ma mère a les yeux rivés à l'écran. Un coup à droite, un coup à gauche, la sonde distend mon fond. Je me concentre sur ma fille. Quelqu'un se colle à l'écran comme derrière une vitre ; puis se retire dans l'ombre. Est-ce une petite cage thoracique, qui s'ouvre et se ferme, respiration aquatique ? Un squelette au fond de l'eau comme dans les aquariums, une malle à trésor dont l'ouverture fait des bulles ? Au milieu des poissons rouges, ma fille, dont mon regard recompose la chair.

La sonde la poursuivait au fond de mon vagin comme si l'échographe, à la fête foraine, convoitait un canard. « Hé », dis-je. Il y a des limites à l'idée que son corps soit seulement un bocal.

– Thalami, hémisphères, pédoncules, cervelet, dit l'échographe.

Avec la souris de son ordinateur elle isolait un bel ovale : la boîte crânienne de ma fille. Je commençais à y voir pour de bon. Son cerveau faisait une Lune, cratères noir et blanc, météores et canyons.

– Structures céphaliques en place, reprit l'échographe sur le ton de l'ingénieur-chef à Cap Canaveral. Ventricules latéraux non dilatés, corne postérieure : 5,2 mm. Grande citerne.

Ma fille aurait une grande citerne. Elle serait très intelligente.

Un virage dans mon vagin :

– Deux orbites, deux globes oculaires, deux narines, deux lèvres.

Je vis une main, une main qui avançait vers moi dans le noir. Grande ouverte : pouce, index, majeur, annulaire et auriculaire, une main d'être humain. Et derrière, apparaissant, forçant le néant comme sous une étamine, un visage à la bouche ouverte, yeux profonds, grand front sombre... qui avançait et reculait, palpitait, au bord de disparaître, dans le brouillard des pixels.

*

C'est vers cinq mois qu'on commence à voir bouger sous la peau. Comme une devinette, un corps en bouts rimés : genoux, coudes, tête et fesses, un pied ou un poing poussant sous la paroi, une charade qui ferait un bébé. Car il doit bien y avoir un tout là-dessous. Comme si des boules chinoises, faites pour le plaisir, avaient glissé du vagin vers l'intérieur du ventre et s'y étaient égarées. Elle les sentait rouler, se bloquer, lâcher prise, par pressions et soudaines détentes. Creux et bosses. Plus les semaines passaient, plus les boules chinoises se rapprochaient les unes des autres : un seul corps occupant de plus en plus de place.

Comment expliquer à ceux qui ne savent pas ? *Tu as déjà eu un muscle qui tressaille, dans la cuisse ou le bras ; un muscle fatigué, qui s'est mis à bouger en toute indépendance ; alors tu connais une des sensations de cette vie à deux.*

Bientôt ce n'étaient plus des petites boules chinoises, mais un seul ballon rond. Il gonflait par endroits, ou cédait. Si elle marchait pendant ces différences de pression, elle en était déséquilibrée. Elles s'immobilisaient, Épiphanie et elle. Épiphanie aussi avait peut-être cette même impression de vertige ; peut-être fermait-elle les yeux elle aussi, sur le peu de lumière qui filtrait dans son univers rouge ; cherchant son axe sur la planète.

*

168

– À Régane, dans le Sahara, commença ma mère

– Vessie en place, dit l'échographe.

– l'opération Gerboise, quand les Français ont procédé à leur premier essai atomique

– Rachis suivi

– les ouvriers, en récompense, ont eu le droit d'assister à l'explosion

– Quatre cavités équilibrées

– on leur a même dit de se mettre debout pour mieux voir

– Appareil valvulaire en place, gros vaisseaux bien posés

– un survivant racontait qu'au moment du flash, on voyait à travers les paupières, yeux fermés ; pas comme en plein jour, comme ça :

Elle montrait l'écran.

– Pas de déviation de la veine ombilicale, continua l'échographe.

– ...sa propre main en transparence, les os, les articulations, et la chair en halo autour...

– Maman, protestai-je.

– ...et ses pieds à travers les chaussures, et tout son corps à travers les vêtements, et le corps des voisins : des squelettes arc-boutés dans la lumière, dans une mousse d'atomes...

– Les deux reins sont normaux, et en taille, et en échostructure, déclara joyeusement l'échographe. Vous voulez savoir le sexe ?

– Oui, dit ma mère.

L'échographe eut, du poignet, un mouvement d'escrimeuse, la sonde chercha à raccourcir la distance entre mon utérus et ma glotte, et nous vîmes deux fémurs couronnés de rotules entre lesquels s'ouvrait, mise en abyme et gouffre d'indiscrétion, au fond de mon vagin un autre petit vagin.

– C'est une fille, constata l'échographe.

Et je considérai ma mère d'un œil placide, comme le mammifère pensant que je suis. J'avais eu une chance sur deux.

*

Son père et sa mère aimaient beaucoup leur chien, nommé Le Chien. Tous les soirs ils le sortaient sur la plage, à la brève époque où ils habitaient B. sur Mer.

Un soir, le 10 mai 1981 à 19 h 45, Pablo a sept ans elle douze, leur père est socialiste avec des papiers français, leur mère est socialiste avec des papiers espagnols, ils sont collés à la télévision, et c'est à eux, les enfants, pour une fois, de sortir Le Chien.

Le boulevard de la plage est désert. Une seule voiture est en train de le remonter, on entend son moteur depuis le bout de la jetée. Cette voiture c'est la Mort du Chien. Le Chien qui vaque à son petit parcours, pendant qu'eux, les enfants, regardent la mer assis sur la murette. Elle, l'aînée, elle le sait, elle le sent, qu'il faudrait suivre pas à pas et pipi par pipi Le précieux Chien tenu en laisse. Mais le temps qu'elle se décide, elle ne peut que percevoir le flash d'énergie du coup de frein dans le soleil, et l'arabesque du chien projeté dans l'espace. Elle voit très bien (et elle revoit très bien) le mouvement du chien décomposé par les rayons, la catastrophe géométrique – l'esquive dérisoire, toutes pattes à l'oblique, puis le cou dévié dans un angle extravagant et le corps ensuite, comme arraché à la pesanteur et virevoltant ; toutes choses dont on ignorait le corps du Chien capable.

Ensuite ils sont dans la cuisine. C'est à elle, l'aînée, de faire cette annonce prodigieuse : Le Chien est mort. Elle ne peut s'ôter de la tête le sinistre porte-à-porte des gendarmes faisant part des deuils, en 14-18, c'est à son programme scolaire. Elle essaie de trouver les mots. Pour la première fois, elle voit ses parents pleurer. Ils se tiennent par la main comme des amoureux. Puis ils sont sur la plage en famille, le soleil se couche, François Mitterrand a gagné les élections, le corps du Chien est étendu à leurs pieds. Elle ne regardera plus jamais innocemment les deux paysans de l'Angélus penchés dans la lumière rasante. Des klaxons et des chants, un début d'embouteillage : de petits groupes de B.Nordistes fêtent la victoire socialiste. Le père a trouvé une pelle, la mère enveloppe Le Chien dans son plaid préféré. Silence. Ils choisissent un creux dans la dune, leur père creuse en face du point d'impact ; par leurs fenêtres, on verra l'emplacement.

Le lendemain matin Pablo et elle se réveillent seuls dans l'appartement. Ils attendent longtemps. Ils ne vont pas à l'école, ils déjeunent de restes. Les parents reviennent. Ils ont quelque chose à leur dire. Vont-ils les chasser parce qu'ils ont tué Le Chien ? Avec solennité ils racontent : ne pouvant trouver le sommeil ils se relèvent dans la nuit. Cette sépulture ne convient pas. La marée, les promeneurs, le mouvement des dunes, pourraient exhumer le corps. Ils reprennent la pelle. Déterrent Le Chien sous la Lune. Le ramènent à l'appartement, le brossent, le lavent, le sèchent au sèche-cheveux, lavent et repassent le plaid. À la première heure, ils partent acheter une concession au seul cimetière pour animaux, côté espagnol, plus au Sud que B.Sud. La cérémonie aura lieu demain. Le Chien attend dans une chambre froide, enroulé dans son plaid propre, avec son jouet favori, une poupée Barbie dépenaillée qui lui appartenait quand elle était petite. Sa mère sanglote.

Ce jour-là, 11 mai 1981, à l'âge de douze ans, elle comprend que ses parents sont cinglés. Cinglés plutôt que fous, fou c'est Pablo qui le deviendra. Plus tard ils se séparent, sans jamais divorcer. Sa mère s'établit brièvement à Bordeaux quand il semble que là-bas, on puisse trouver des soins pour Pablo. La grande forêt à traverser, cette frontière énorme entre le pays et le monde, *tagadoum tagadoum*, d'une gare à l'autre, d'un parent à l'autre… Le plus extraordinaire peut-être est que des années après, lorsque le père revient chez la mère pour abdiquer au fond du jardin, ils rachètent un chien, le même corniaud pour deux, nommé d'un côté Marcel, de l'autre Hector, ce qui n'a aucun sens.

*

– À quoi tu penses ? demandait mon mari.

L'hiver faisait une lumière bleue et la route montait et descendait, ondulant dans la perspective du pare-brise.

– Je pense à elle.

Et nous savions tous deux de qui nous parlions, nous eûmes tous les deux un rire dans ce

173

délice du pronom « elle ». Désignée en langue, elle, notre fille ; pas le « il » neutre et fœtal.

« Épiphanie » prononçait mon mari, il pesait le mot sur sa langue et le paysage redoublait de douceur, bruyères, dunes, triangles de mer, « Épiphanie » répétait-il, il savourait les syllabes dans sa bouche.

Nous frottons la lampe des noms et ils apparaissent, nos bons génies. Épiphanie bientôt serait là. En ce moment elle devait être longue et maigre, paupières encore fermées, la peau rouge et plissée sous laquelle transparaissent les veines, et couverte de ce duvet qu'on appelle le *lanugo*.

– Le quoi ?

– Le lanugo.

– On dirait le nom d'une monstre marin.

– D'*un* monstre marin.

– D'une monstre marin sud-américaine.

– Ils sont sûrement couverts de lanugo, là-bas, au fond des fosses.

Nous avions laissé derrière nous la presqu'île de C.Ouest et nous suivions des yeux le courant vers le large. Les radiations de la centrale étaient entraînées vers les profondeurs.

– Je suis quand même contente qu'elle soit normale.

174

– Bien sûr qu'elle est normale.

– Avec deux bras, deux jambes, cinq doigts à chaque main et une grande citerne.

– Bien sûr qu'elle est normale.

Le courant plongeait dans le *rift*, le grand canyon qui creuse l'Atlantique de l'Islande aux Malouines, et au fond duquel rampe le lanugo velu. Franges de différentes eaux. L'océan était vert, le courant était bleu, et l'embouchure du fleuve, à B.Nord, ouvrait un chenal ocre qui venait des terres. Nous nous étions arrêtés sur une aire de pique-nique, pour regarder. Le vent secouait la voiture, nous avions ouvert les fenêtres pour sentir les embruns. Un lavis gris couvrait soudain le ciel, le temps vire ici comme une lanterne magique ; nulle part ailleurs la pluie et le soleil ne se succèdent aussi vite, sauf peut-être en Islande et aux Malouines.

– J'ai entendu dire – commençai-je – que si tu estimes le poids de la Terre selon un modèle physique, en fonction de son volume et de sa révolution ; et si tu estimes son poids en additionnant tout ce qui la compose, sol, manteau, noyau, et l'eau de la mer, la glace des calottes, et les plantes, les animaux, l'énorme masse des insectes… et bien tu trouves une grande différence.

– Entre quoi et quoi ?

– Entre les deux estimations. Entre le poids théorique et le poids additionné.

Mon mari me regarde puis regarde la mer. La Côte Nord et la Côte Ouest forment un angle droit, un coin enfoncé dans l'Europe. On peut sentir, de ce creux où nous sommes, la masse arc-boutée de l'océan. Elle pèse contre le pays. Nous admirons sa résistance, faite de dunes, de falaises et de phares, de granit et d'iridium, et d'aires de pique-nique au bord de l'Atlantique. Et je sais qu'en avançant tout droit, le fond plonge vers des fosses merveilleuses, avec des yeux, des tentacules, des cils fluorescents, une masse organique énorme, qui pousse. Si le bonheur est la chose du monde la plus mal partagée, nous en avons reçu une dose massive.

– Et donc ? demande mon mari.

– Eh bien ce qui manque, ce sont les calmars géants.

– Les calmars géants.

– Oui.

– Tu as vu ça sur Disney Channel ?

– Les cachalots portent des traces de combat, des cercles de ventouses, qui laissent supposer des tentacules géants. Dans tous les estomacs de cacha-

176

lot on trouve d'énormes becs de calmars, ce qui veut dire qu'en plus de leur grande taille, statistiquement les calmars sont très nombreux. Chaque calmar pesant au minimum sa demi-tonne, la masse manquante, elle est là : cachée au fond des fosses. La plus grande masse organique de la planète.

– Voilà qui résoudrait le problème de la faim dans le monde. Mais il faut aimer le calmar.

Nous roulions maintenant sur l'étroite piste côtière, le long des territoires de l'Ouest. Lande et cailloux. La route longeait, à gauche, des bosquets de tamaris, à droite, la houle qui cognait sans que rien ne l'arrête depuis le centre de l'océan. Seul un cap rocheux la faisait, au loin, éclater : explosion blanche.

– On est mieux ici qu'à Paris, dit mon mari.

Sa main s'était posée sur mon genou. Avec Épiphanie dedans et l'océan devant, il fallait croire que nous étions chez nous, et qu'habiter un petit pays avait quelque chose d'élémentairement conjugal, une géographie du mariage.

*

Elle s'était remise à nager. Les femmes enceintes ont besoin d'étirer leur dos, mais c'était surtout l'écriture, ou plutôt ses longues stations à son bureau. Il fallait reprendre, après le déménagement, de bonnes habitudes : le dos droit.

Les jours de grâce, quand la page prend tout le corps, ça écrit, ça écrit ; et on oublie qu'on a un corps situé dans l'espace, un volume fait d'os, de muscles, de sang et de tendons (et en l'occurrence, d'un deuxième être humain). On tend à une porosité cosmique mais quand le point final est posé, le trajet cerveau-main est un tortillon de métal qui prend la nuque, le cou et l'épaule, crispe le coude et pulse jusque dans l'index.

Son professeur de développement personnel, que lui avait conseillé une journaliste de *Elle*, lui avait appris à méditer. « On porte tous le cosmos en nous » soufflait-il en lui massant le troisième œil, ou en lui pétrissant le coccyx. Le coccyx de l'écrivain ne respire pas, et c'est un vrai bonheur de se le faire masser, à domicile, à Paris. Dans les périodes moins fastes elle se rabattait sur le ticket de piscine à deux euros.

Nager était le contre champ physique de l'écriture. Corps libéré de la chaise et de la pesanteur, cerveau dans l'écriture mais sans la main, sans la page : une écriture nagée, un rêve. Et quand on parvenait à ce point hypnotique où muscles et souffle s'étaient fondus, continuer à nager pour le restant de ses jours était envisageable. Phrases et corps étaient au bord de se confondre.

Sous la douche enfin, jambes en coton, dos dénoué, se scalper en ôtant le bonnet de caoutchouc, décoller les lunettes, *pop*, claquer des dents dans la cabine et laisser tomber à ses pieds, avec le maillot, le cosmos municipal des piscines.

Méditer, disait donc son prof de développement personnel. En lotus comme elle pouvait, Occidentale raidie par sa chaise, elle parvenait parfois, à force de volonté – et en contradiction notoire avec l'esprit *ayurvédique* – sinon à méditer, du moins à ne penser à rien. Ce qu'elle obtenait en nageant ou en écrivant – l'absence à soi-même, l'accès au monde sans le *je* – elle dépensait beaucoup d'effort pour l'obtenir assise en lotus. Mais ça n'était pas inintéressant.

La vie est une rivière… Désactiver les ressassements, évacuer les listes, les tracas et les petites chansons… se caler vertèbre à vertèbre sur la colonne montante du souffle, *inspirer, expirer, nul obstacle…* Si l'on réussissait à s'extraire du bazar – alors on tombait vers le haut. Un appel d'air, un nouveau plexus qui s'ouvrait. Une autre capacité à être là, un envol. Un devenir-monde où le moi n'était plus une passerelle mais une présence décentrée, épanouie… oui, un quart de seconde. Car il suffisait de penser *ça y est* ou *j'y suis* pour que le lieu découvert se referme. Zéro, en méditation. Le résultat de l'exercice était un sentiment d'échec, et la

179

conviction que les Asiatiques, décidément, en savent plus long que nous sur bien des choses.

*

Le dernier souffle d'Amona avait été une inspiration. Elle avait pris une grande goulée d'air, au lieu comme on dit d'expirer. La mort de ma grand-mère, son agonie, fut l'occasion de mon premier retour au pays. Je vivais en Tasmanie avec un Australien, une histoire de fous. Nulle part n'était assez loin de B.Nord. Au bord d'une rivière où l'eau n'affluait que quelques jours par an, dans une cabine téléphonique rouge, j'appelais sa chambre d'hôpital. Il fallait faire une heure de jeep jusqu'à la station-service où nous faisions nos courses, et se procurer des kilos de pièces de vingt-cinq cents. Quand je ne reconnus plus sa voix je me mis à penser l'impensable, la suppression de ma grand-mère hors de la surface terrestre. La rivière s'était brutalement mise à couler, c'était le printemps austral. Les ornithorynques avaient surgi comme s'ils avaient attendu, déshydratés, dans la terre craquelée. Des plantes énormes, des lézards-dragons et de petits marsupiaux bondissants m'entouraient, tout était

180

d'un vert scandaleux, les fleurs faisaient peur à voir. J'avais la tête en bas, le vertige et mal au crâne d'être si loin aux antipodes, sous les racines des arbres du pays.

Un jour je n'entendis plus que sa respiration. L'impensable se produisait. Je lui dis : *tu m'attends*.

Je volai par-dessus mers et continents, Hobart, Melbourne, Singapour, Paris, C.Ouest, l'hôpital, la chambre, le plus vite possible pour recueillir son dernier souffle. J'étais la mort de ma grand-mère, je volais en traversant la Terre – non : j'étais celle qui tenait la mort en respect, la mort invisible, ce point du temps, un fluide peut-être, qui gagnait une chambre là-bas, loin encore, et que mon voyage empêchait, empêchait pour le moment : *tu m'attends*. L'espace contre le temps, contre la montre – et serais-je restée en l'air toute la vie, telle le capitaine Kirk désintégré entre deux mondes, mon aïeule, peut-être, m'aurait attendue *ad vitam aeternam*.

Elle m'avait attendu. Son corps sous les draps formait une bosse minuscule. Où était le volume de ma grand-mère ? Où avait disparu ses atomes ? Elle s'était réfugiée dans son cerveau, tout à son attente, à sa respiration. Ma mère et moi, nous lui tenions la

181

main. Vite, nous avons appris à parler la langue du coma, par pressions des doigts, par transfert d'énergie, une langue de conviction, de pure intensité.

Je lui fis deux promesses : celle d'avoir des enfants, et celle d'apprendre la vieille langue. Je supposais que c'était son désir. Je tenais, sur son lit de mort, un discours amoureux. Elle était encore là. C'était encore elle. Elle a respiré un grand coup et elle n'a plus jamais expiré.

Quand nous déposâmes ses cendres à la Maison des Morts, et que nous composâmes son portrait funéraire, où était partie ma promesse ? Qui la gardait, où ? Où était celle qui avait fait naître ce besoin enfantin de promettre ? Je remis les promesses à plus tard.

*

L'après-midi vers quatorze heures, dans le creux de la journée d'hiver, elle s'allongeait devant la télé. Épiphanie changeait de position avec, pour peu de temps encore, la place de se retourner.

Émissions pour dames, séries américaines doublées en vieille langue et documentaires animaliers. Sa grossesse allait sur six mois. Elle apprenait à repérer les ours grâce à un détecteur de chaleur : un halo rouge trahissait leur grotte sur le paysage enneigé. Une ourse faisait parfois surface, grappillait du sorbier, hirsute et se grattant, faisait pipi puis retournait au chaud. C'était assez proche de son rythme de vie.

Ils avaient acheté une deuxième voiture avec l'argent d'une publicité qu'avait tournée Diego : le van VW dont il rêvait. C'était lui désormais qui amenait Tiot à l'école. Elle fabriquait Épiphanie tranquillement.

Les éléphants caressent du bout de la trompe une carcasse trouvée sur leur territoire. Ils reconnaissent les grandes oreilles, la charpente des os sous le cuir desséché, les défenses.

Ciel bleu glacé. Les branches se détendaient dans la faible chaleur, laissant goutter leur gel, *plic, plic.*

Les éléphants défont la momie rongée par les hyènes et le soleil ; délicatement, avec une attention aimante, ils se passent les os de trompe en trompe.

L'air craquait, le jardin scintillait, de grands zig-zags froids fendaient les pièces miroitantes, et les ombres de l'hiver passaient, blanches et claires, dans lesquelles la maison se déformait comme à travers un quartz.

Ils bercent les os, des fémurs gros comme des poutres, dans un silence méditatif.

L'hiver au pays était très court. Janvier semblait une anomalie. Noël avait été humide, rhumes et crachin tiède ; un vrai temps d'ici.

Ils manipulent ces os et rêvent. La charogne sous leur trompe redevient un éléphant.

Elle ne comprenait pas le commentaire, mais il devait dire à peu près que les éléphants ont conscience de la mort. Les éléphants n'ont pas de cimetières, contrairement à la légende, mais quand meurt un des leurs, ils s'arrêtent et ils pensent.

Elle se faisait un thé, il était seize heures.

IV

Les Morts

J'avais rendez-vous avec mon mari pour déjeuner, du côté de C.Ouest. J'aimais passer par ce coin que nous surnommions la Patagonie. La forêt avait été abattue en prévision de l'extension de la centrale, et l'érosion, le vent, avaient fait avancer la dune. Il n'y avait rien, pendant cinq kilomètres.

Mon mari est né à Comodoro Rivadavia, au Sud de la péninsule Valdés, dans le Chubut, une des cinq provinces de Patagonie. Si la péninsule attire quelques touristes grâce aux baleines et au casino de Puerto Madryn, à Comodoro Rivadavia il n'y a rien ; sauf, échoués sur la plage, monument au vide, trois chalutiers et deux cargos qui rouillent bord à bord. Ils ont atteint cet état du métal où on ne sait plus comment tiennent les molécules, comment l'acier reste l'acier. La mer, la plage, le désert, passent au travers de leur dentelle. Au moment où j'écris ils se sont peut-être effondrés, un talus rouge.

À Comodoro Rivadavia, ville aussi petite que son nom était long, à *Como* comme ils disaient, mon mari gardait un ami, un vrai Porteño de Buenos Aires. L'Agence Argentine de Presse l'avait envoyé là comme correspondant. Assis avec nous face à l'océan Antarctique – ce grand large du Sud qui ne rencontre aucune terre : un cercle d'eau – assis avec nous à l'ombre des cargos il semblait ne pas adhérer à cette réalité : lui, ici. Buenos Aires tanguait dans ses yeux. Pour mon mari, c'était plus facile. Je vivais avec un homme d'humeur égale, et là-bas, à Como, je comprenais cette tranquillité : c'était le soulagement. Revenu pour quelques jours dans son bled, il tenait l'occasion d'y vérifier sa propre absence. Il se promenait avec moi dans la dizaine de rues, il ne me lâchait pas la main ; nous prenions un café au bistrot de la plage, nous dînions chez sa tante, les voisins le saluaient ; les lieux et les êtres étaient invités à constater que lui, n'y était plus.

Sa satisfaction était maximale quand il demandait à son copain, le journaliste sportif, littéraire, politique et météo de l'unique bureau de presse du Sud-Chubut, ce qu'il faisait de ses soirées. Diego Herzl n'est pas un méchant homme. Mais tout le monde n'a pas un tel repère dans l'espace pour poser sur le reste du monde, et sur le devenir de sa propre personne, un regard content.

Je roulais dans la petite Patagonie yuoanguie, au ralenti. L'illusion d'un horizon vide, j'en profitais. Je rêvais au jet de la baleine, et aux milliers de phoques échoués le long des plages. Sur le port de Como nous avions pique-niqué à l'ombre d'un bateau en cale. Il y avait une alerte aux ultraviolets. Le trou dans la couche d'ozone, centré sur l'Antarctique comme l'anticyclone sur les Açores, s'était agrandi vers le Nord au-dessus du Chubut. Il faisait frais, mais le soleil brûlait. Un pêcheur nous avait offert cet abri comme à deux voyageurs sous l'averse. Son bateau avait la proue calée sur des rochers, la poupe soutenue par des étais : il formait une grotte. Nous partagions nos *Quilmes* bien fraîches quand, dans l'ombre de la proue, quelque chose bougea. Un rocher vivant, couvert de mousse et d'algues, de la taille d'un bœuf. Ça n'en finissait pas de se déplier, ronflant, crachant, ahanant. Ma tête heurta la coque du bateau et je fis tomber ma bière. « El elefante » dit le pêcheur. Un éléphant de mer de la taille d'un éléphant d'Asie. Il prenait l'ombre, comme nous. Le pêcheur alluma tranquillement une cigarette, comme s'ils allaient s'en griller une entre hommes. Mais l'éléphant produisit un bruit énorme, et l'organe qui surmontait sa bouche pulvérisa une quantité pachydermique de mucus. « *Salud* », dit Diego, ce qui veut dire à tes souhaits.

Je roulais dans la petite Patagonie yuoanguie. La zone commerciale de C.Ouest s'agrandissait sur les anciens marécages. Elle occupait désormais presque tout l'isthme, avant la centrale. Un grand hangar bleu et jaune était en construction. Un Ikéa. C'était bien la peine d'avoir fait tout ce chemin.

*

Le matin, après le départ de Diego, elle éteignait les lumières derrière lui. Elle ramassait sa serviette mouillée. Elle suspendait son peignoir. Elle fermait la bombe de mousse à raser, elle rinçait le lavabo, elle enlevait les poils. Mais elle ne fermait plus le tube de dentifrice, depuis cette magnifique invention des tubes à clapet. Elle mettait

190

au sale son linge de la veille, chaussettes, caleçon, tee-shirt. Elle rangeait ses chaussures. Elle rinçait sa tasse à café et la casait dans le lave-vaisselle. Elle éteignait la cafetière. Elle essuyait les miettes. Elle suspendait son imperméable s'il avait pris son blouson, son blouson s'il avait pris son imperméable. Elle empilait ses papiers qui traînaient. Elle vidait son cendrier et jetait ses paquets vides. Elle triait son journal de la veille et la canette de bière qu'il buvait le soir. Elle replaçait son flacon de parfum sur l'étagère. Elle avait changé. Elle ne voulait plus changer l'homme qu'elle aimait. Ordre ou désordre, tant qu'elle y retrouvait ses petits tout lui allait.

Ce n'était pas son premier amour, et c'était loin d'être son premier livre. Quand la maison se vidait, elle commençait son petit va-et-vient, une souris au ménage de son terrier ; avec les gestes routiniers, le vide descendait en elle, ce vide qui est l'écriture et la possibilité de l'écriture. Dans ce secret des maisons vides, où les femmes demeurent à rêver.

Le vieux sage sur la montagne : c'était elle. Assise en tailleur sur sa montagne de linge.

Diego le Magnifique : c'était lui. Le Surfeur d'Argent. L'Homme qu'elle aimait comme il était.

Et quand l'agacement montait, elle se souvenait qu'un jour il mourrait (statistiquement, les hommes mouraient avant les femmes) et que le vide qu'il laisserait

serait un tombeau, un tombeau sans lumières, sans serviettes roulées en boule, sans mousse à raser séchée et poils collés au lavabo. Ça la calmait.

*

Je roulais dans le coquet dédale d'équipements collectifs, hôpital, stade, piscine, médiathèque et salle polyvalente, terre-pleins, bancs publics, lampadaires et bacs à fleurs, de la minuscule agglomération de C.Ouest. Une bretelle à trois voies était réservée à l'accès de la centrale. *La Balise* était pimpante, ses colombages repeints de frais, et des géraniums à n'en plus pouvoir. J'étais en avance. Le patron me servit une Ekhi. Il avait les cheveux mouillés.

– Je me baigne tous les jours, me dit-il. Vous êtes de C.?

– Je suis de B.Nord.

– Il y a un microclimat ici. À C., à C.Ouest.

– Je croyais qu'il y avait un microclimat sur tout le pays.

– Sauf sur B.Sud. Il pleut tout le temps de leur côté. Non, ici, à C.Ouest, il y a un microclimat dans le microclimat. Grâce à la centrale.

– Grâce à la centrale.

– Chez vous, on se baigne, allez, d'avril à septembre. À C., de mars à octobre. Et moi, toute l'année. Parce que l'eau est chaude. Les touristes le savent.

– L'eau est plus chaude qu'ailleurs ?

– L'eau est plus chaude qu'ailleurs. À cause de la centrale. N'allez pas croire ce qu'on raconte. Mes enfants se baignent et ils sont en parfaite santé. Les crabes pullulent, ils adorent l'eau chaude, les moules et les poulpes aussi. Nous mangeons notre propre pêche. Que du frais. Tous les matins, je vais à la sortie du tuyau, environ une heure de mer, et je relève mes casiers. Les homards sont ÉNORMES. Et je n'en ai jamais trouvé à trois pinces, allez. Tout ça c'est des conneries. L'eau est peut-être plus chaude qu'ailleurs, mais elle est aussi bien mieux surveillée. Chaude ne veut pas dire sale, hein ? Ils font des contrôles quotidiens. Très stricts. Je vois leurs bateaux, on se dit bonjour. Qui a jamais été contaminé par de l'eau chaude ? Moi, cette mer, bleue et claire, j'en boirais.

Diego ne devait pas être loin, son van était garé devant la plage. Le *long board* était sur le toit, il avait dû prendre le *thruster*, la houle était vive et serrée. Ça commençait à se remplir, dans le bistrot. Mon hôte pro-nucléaire dut me laisser pour s'occuper des clients. La plupart portaient des costumes cravate, c'étaient les cadres de la centrale : il n'y en avait pas trente-six, des bons restaurants à C.Ouest.

Diego arriva, je l'avais vu se dessiner à travers la baie vitrée, un peu déformante, dans les aplats de soleil ; et quand il avait poussé la porte j'avais senti ce point joyeux au cœur, d'être amoureuse.

– Le crabe farci, commanda-t-il.

Depuis qu'il surfait la vague de C.Ouest, il avait pris ses habitudes.

– Un steak, dis-je. Bien cuit.

Je calai Épiphanie entre la table et moi. Assise de biais contre la baie vitrée, je voyais l'enfilade de la presqu'île, les centres commerciaux, les deux cheminées hyperboliques, et par-derrière l'usine de retraitement des déchets nucléaires, qui faisait, en plus des subsides européens, la fortune récente de ce vieux pays. Bosselée, tubelée, avec des cuves de différentes formes, comme ces jeux où Tiot met les ronds dans les ronds et les triangles dans les triangles. Mon mari dépiautait son crabe, je me disais, le crabe est cuit, est-ce que la cuisson annule les radiations ?

– Tu vas rester longtemps sur ce *spot*?

– La vague est belle, et de l'eau chaude en janvier, je ne dis pas non.

Cinglé, comme les autres. À la place de la centrale, je voyais un tumulus. Tous les morts, depuis que le sol de ce pays se creusait sous l'érosion humaine, y étaient enterrés. La géographie était déterminée par leur nombre, le bout de la presqu'île se bombait sur les morts. Leurs atomes se combinaient et se recombinaient, ils entraient en fusion, et ils nous fournissaient de l'énergie. Les volcans d'Islande prodiguent aux Islandais chaleur et électricité; au pays, ce sont les morts qui nous tiennent chaud.

– À quoi tu penses? demanda mon mari.

– Je pense que les morts nous tiennent chaud.

– C'est gai.

– Je vais retourner à la Maison des Morts.

La phrase s'est enroulée autour de ses m, de ses o et de ses r. Elle est restée à ronfler entre nous, entre la carapace du crabe et le gras de la viande.

– Au secours, gémit Diego.

Pour mon mari, la Maison des Morts et la Maison des Fous, c'est pareil. À chacun de nos séjours ici, irrésistiblement j'ai fini par y aller, comme un joueur devant un casino. Je peux toujours prétex-

195

ter que je vais voir ma grand-mère, pour Diego c'est pareil : est-ce qu'on ne peut pas rester tranquilles, avec nos macchabées? Moi je crois que c'est juste une histoire de famille, la même pour tout le monde : mort, secret, silence, et la vie qui pousse là-dessus comme une tubéreuse.

– Comme une quoi?

– Une tubéreuse.

– Tubéreuse, c'est une nouvelle prénom?

Je fourrageai dans son paquet de cigarettes, m'en plantai une dans le bec et l'allumai. Le plaisir – bouche, gorge, poumons, et la peau du visage, et jusque dans les yeux – le plaisir fut tel que je cessai de parler. Nous nous immobilisâmes, lui sur sa patte de crabe, moi sur ma clope, chacun dans sa zone empoisonnée. Nos disputes étaient muettes, de lourds anges passaient et se collaient sous le plafond, vampires, jusqu'à ce que nous nous rappelions les rituels d'exorcisme.

*

Elle nageait. Elle s'était trouvé un médecin, à B.Nord, et bien sûr qu'elle ne courait plus. Nager, c'était l'idéal. Elle se laissait glisser dans le grand bain. Ses cuisses, ses hanches s'enfonçaient, et son ventre

196

était porté, le poids s'allégeait dans la corbeille de son bassin. L'eau portait son ventre qui portait sa fille. Nulle part ailleurs l'emboîtement n'était si satisfaisant, eau, corps, eau, corps, un petit corps dans un bain amniotique dans un grand corps dans une piscine. Et à l'intérieur du corps de sa fille un minuscule utérus prolongeait la potentialité du monde. L'effet *Vache qui rit* des corps féminins. Comme si le temps se lovait dans les ventres, et que les générations y demeuraient, ensemble, une matriochka enceinte d'autres matriochkas enceintes.

Sa grand-mère Amona lui interdisait : 1) de boire de l'eau en mangeant du poisson ; 2) de se baigner en ayant ses règles. C'était sa mécanique des fluides à elle : 1) Le poisson avait nagé dans la mer, boire de l'eau par-dessus noyait l'estomac ; 2) les fluides appellent les fluides, se baigner avec ses règles c'était risquer l'hémorragie. Cette conception de la physique, elle en gardait quelque chose. Il lui semblait étrange que des éclairs humides ne se créent pas quand son corps touchait l'eau. Une reconnaissance de l'eau par l'eau, si bien qu'une femme enceinte ne pourrait se baigner sans crépitements ni éclairs bleus, une déesse à la source.

Elle n'était pas peu fière, à la piscine, d'exhiber son ventre moulé. À l'extérieur c'était l'hiver, l'hiver pluvieux du pays. Sous l'imperméable, personne ne devinait. À la piscine, au moins, elle avait franchi ce stade où les grossesses ne se confondent plus avec de l'embonpoint.

De quoi était-elle si fière ? D'un pouvoir largement partagé ? De sa contribution au devenir de l'espèce ? De quel secret ? De quel mystère ? Ou simplement de son corps et de son histoire à elle, de l'aventure unique de ce corps-là au monde. Cette femme et cet enfant.

Les carreaux bleus bougeaient sous elle et sous Épiphanie. Passaient d'autres mères majestueuses. Il y avait un horaire « femmes enceintes » à la piscine de B.Nord. À mesure que les grossesses avançaient, elles s'échouaient au bord de l'eau, prêtes à souffler un dernier jet de baleine pour *hop !* enfanter. Celles accompagnées de baleineaux protégeaient les petits des plus grands, immémorialement. Les petits tant aimés. Les grands tant aimés. Il n'y avait jamais d'hommes à cette heure-là dans la piscine de B.Nord. Ils se tenaient à bonne distance du sanctuaire.

Ses bras goûtaient la résistance de l'eau, comme dans les rêves où elle volait… et ses pieds trouvaient les bords, de côté et au fond. Cette sensation ancienne sous la plante des pieds : prendre appui et se propulser… et se mouvoir dans un milieu tiède et fluide… notre première relation à l'espace.

*

198

Je repris la route. Dunes, centres commerciaux, falaise, bourgs, petits estuaires tranquilles. Je pensais à Kokura, la troisième ville sur la liste après Hiroshima ; la deuxième c'était Kyoto, son patrimoine l'avait sauvée. Le matin du 9 août 1945, l'avion a décollé en direction de Kokura. La brume s'est levée, et sa route a été détournée sur Nagasaki. À Nagasaki aussi il y avait de la brume, mais on n'avait plus le temps de voler jusqu'à une autre cible, et la bombe fut lâchée à l'aveuglette.

Je pensais aux gens vivants, par hasard, par brouillard, parce que ce matin-là l'air sur la mer était plus frais que l'eau. Et je pensais aux corps redevenus instantanément atomes. Hiroshima, Nagasaki, Kokura, c'étaient des villes de taille intermédiaire, choisies sur des critères précis, planes, en estuaires, et non encore endommagées par la guerre : pour étudier les effets de ces nouvelles bombes. Je pensais que mon cerveau était fait de ces atomes, et je roulais.

« Vous venez voir votre grand-mère ? » me demanda l'employé. Il me reconnaissait, soit qu'il m'ait vue à la télé, soit qu'il connaisse tout le pays, toutes les filiations du pays. Il m'ouvrit une cabine et me laissa seule.

Ça s'était un peu modernisé. La moquette rouge était neuve, le fauteuil aussi. L'écran était plat, le clavier confortable, et pour quelques euros un distributeur proposait de l'encens, des bougies, des kleenex. Je tapai mon nom, mis à jour quelques données : changement d'adresse, naissance de Tiot. Mon arbre généalogique se déploya, je cliquai sur Amona.

Je pensais à ma pensée faite de petits bouts, de bribes.

Elle apparut, telle que nous l'avions voulue ma mère et moi, immobilisée sur sa jolie soixantaine comme dans mes premiers souvenirs. Droite, souriante, ses ongles impeccablement assortis à ses lèvres, sa mise en plis blanc-bleu, et la robe que nous lui avions choisie, blanche à pois noirs. Amona était toujours en deuil ou en demi-deuil de quelqu'un ; elle passait parfois au mauve, sans jamais le temps de remettre des couleurs : toujours quelqu'un mourait. Ma grand-mère. Nous lui avions accordé, dans l'éternité de la Maison des Morts, ses deux paquets de Marlboro par jour, et l'hologramme allumait impunément cigarette sur cigarette. Je démarrai le programme, elle s'anima, me vit, ouvrit les bras.

Malgré le mixage optimisé de sa voix, ce mouvement d'embrassade était dérangeant, ce n'était pas du tout elle ; c'était la fonction « accueil » de tous les hologrammes. Je lui dis bonjour en vieille langue et lui demandai comment elle allait. Ma grand-mère – son hologramme – s'assit. Elle alluma une Marlboro avec les bons gestes, que nous avions récupérés *in extenso* sur une vidéo familiale, et me dit que ça faisait plaisir de me voir. Je cliquai sur « français ». Il aurait fallu passer des heures, comme faisaient certaines familles, à personnaliser son discours, dans une langue ou dans l'autre ; à retrouver ses inflexions, ses tics, toutes ses intonations, à entrer suffisamment de données sur sa vie et la nôtre, suffisamment de questions et de réponses, pour que l'ordinateur puisse gérer une conversation vraisemblable. Mais je n'étais même pas fichue de mettre à jour les albums photos des vivants.

– Je vais bien, énonçai-je à ma grand-mère. Diego et Tiot aussi. Je suis enceinte.

L'hologramme se mit sur pause. Ma grand-mère fumait d'un air absent. Un automate affrontant un trou de sa carte mémoire, plutôt que ma grand-mère cherchant quoi dire, ce qui ne lui arrivait jamais. Quand le logiciel eut calculé une réaction appropriée, l'hologramme de ma grand-mère débita les clichés de la joie familiale. Pablo tenait de cet hologramme, finalement ; la filiation était rendue vraisemblable par les limites de l'informatique. La langue des morts, la langue des lieux communs.

J'avais vu la veille dans *El País* une photo de Miranda, un satellite d'Uranus qui ressemble à un casse-tête : une boule faite de cubes assemblés, matériaux et facettes renvoyant différemment la lumière du soleil ; comme si le satellite avait explosé mais s'était reconstitué d'un coup, s'effondrant sur lui-même dans un ordre relatif.

Il était difficile d'avoir avec Amona (en avais-je l'envie ?) une conversation fictive ; entre deux intonations plausibles son hologramme parlait d'une voix de quai de gare, associant les syllabes une à une d'un aimable ton monocorde. Le seul enregistrement de ma grand-mère en français ne dure que trois minutes, et tous les phonèmes ne s'y trouvent pas, sans parler des données biographiques. Je préfère essayer de me souvenir d'elle, bêtement. Maintenant les gens filment leurs proches et se filment eux-mêmes, sans cesse, en prévision. C'est devenu la névrose du pays.

Le Pays Yuoangui est un petit pays. Il a besoin des morts. Les morts parlent la vieille langue, les morts savent l'histoire du pays, et les morts font foule. Les Yuoanguis morts tiennent compagnie aux Yuoanguis vivants. Un démographe a calculé que trente millions de Yuoanguis ont vécu, trente millions de Yuoanguis sont nés et sont morts. Cela reste un petit pays, à l'échelle des États-Unis ou même de la France, sans aller jusqu'à l'Inde ou la Chine. Mais les deux millions de Yuoanguis actuellement en vie se sentent moins seuls sur la Terre depuis que la Maison des Morts existe.

*

Le centre de la Terre est une zone plus inconnue encore que les bords de l'univers. La matière évidemment fait obstacle à l'œil : il faudrait procéder par carottage, mais les carottages les plus profonds restent d'une longueur dérisoire. Le sol nous résiste.

Il semble que le centre de la Terre soit fait de fer. Liquide et mélangé dans le manteau, solide et de plus en plus pur dans le noyau. Le cœur du noyau s'appelle la graine. Son rayon est de 1 200 km, à peu près celui de la Lune. Une Lune de fer pur est au centre de la Terre.

Les champs magnétiques sont probablement créés par des courants électriques d'une puissance dantesque circulant au cœur de la graine.

Les sondes Voyager 1 et Voyager 2, lancées vers les confins de l'univers, porteuses de radieuses images de la Terre, survivront, selon toute probabilité, à l'espèce humaine.

La lécithine est un genre de lipide présent dans les neurones et dans le jaune d'œuf.

Sekhmet est la déesse égyptienne à face de lionne qui détruisit l'Égypte au XIIIᵉ siècle avant J.-C. Elle est aujourd'hui vénérée par les astronomes catastrophistes, qui l'associent à Phaéton, Typhon, Absinthe, Anath et Surt.

Toutes ces informations sont facilement accessibles, dans les dictionnaires ou sur Internet.

*

L'hologramme prit deux longues bouffées et secoua sa cigarette. Je suivis mélancoliquement l'image des copeaux de cendre. Le sol resta propre. La moquette était là, et ma grand-mère n'était pas là.

« On n'arrête pas le progrès » dit enfin l'hologramme. C'était tout ce que l'ordinateur avait trouvé. Il lançait la vidéo de trois minutes, celle en français. À cette époque-là je venais d'acheter une caméra numérique, ma grand-mère avait quatre-vingts ans, son cancer était diagnostiqué mais elle ne le savait pas. La main tendue vers l'objectif : « Éteins-moi ça. » Je connaissais le film par cœur. La voleuse d'âme en visite.

– Et puis je ne suis pas coiffée...

– Tu es magnifique.

– Tu m'embêtes...

À ce moment-là un klaxon dans la rue l'attirait vers la fenêtre, et elle oubliait la caméra. L'hologramme se remplissait, la chair montait sous l'image comme le sang à des lèvres, à des joues. Ce n'était pas seulement elle, qui revenait, mais la petite ville sur le port, le bruit du restaurant en bas, le ciel cotonneux de ce jour-là. Ça ne s'était pas usé. Le moment se déroulait. J'étais dedans, j'étais de retour. Ce n'était pas tant ce monde, qui revenait, que moi qui retournais parmi les morts.

– On mange quoi ?

J'articule ma question sur ma voix de l'époque. Je ne l'aide pas à mettre la table parce que je filme. *Cling clong*, les assiettes, les verres. Sa cigarette diminue, la fumée inodore monte et s'arrête net, coupée par les projecteurs ; la frontière est rendue visible. Je tends les doigts à travers un verre. L'eau de ce jour-là ne se verse pas, ne se boit pas. Tous ces objets lui survivent au fond de nos placards désormais. Les vieilles tasses dans lesquelles elle revient, elle et sa cuisine et la ville autour d'elle, une Maison des Morts en Arcopal.

– Tu es arrivée par le train ?

– Non, en pédalo.

– À quelle heure ?

– À dix heures hier soir.

Amona s'arrête, l'air intéressé, son cerveau travaille dans l'hologramme et j'aimerais le voir en transparence, cet organe en position fœtale.

– Je ne savais pas qu'il y avait des trains aussi tard.

C'est sa dernière phrase.

Je mets deux euros dans le distributeur et j'achète des kleenex. L'hologramme sur pause reste dans la lumière de treize heures, fumant rêveusement, informatiquement. La journée va basculer, on est en suspens avant la dépression de quatorze heures ; on n'a pas encore le goût du café dans la bouche et la question oisive, que faire. Ma grand-mère à la retraite et moi, l'écrivain.

L'hologramme fume, disponible à mes questions, à mon regard. Je connais bien ces images mais elles me laissent sur les marges : je partage le même mode de présence que la moquette rouge, le fauteuil, le distributeur de kleenex. Il y a une fonction « consolation » mais c'est la première chose que nous avons désactivée, ma mère et moi, la main de l'hologramme sur l'épaule et les condoléances des morts aux vivants.

Je tape le nom de mon frère, Paul Rivière, celui qui est mort. Je sais bien qu'il n'y a rien à « Paul Rivière », mais on peut toujours rêver. Un moment d'élégie, d'égarement ; mes parents évoquant enfin cet enfant, lâchant leur dose d'information, lui donnant enfin un visage. Mais rien, absolument rien. Ni photo, ni récit, ni souvenir. Ç'avait été leur façon à eux de faire, personne ne pouvait juger. Ma mère et mon père, quant aux morts, sont chacun à leur façon irréconciliables.

Deux dates, né et mort à B. Nord, et c'était tout. Un tout petit Yuoangui parmi les petits Yuoanguis. Et malgré toute une vie dans le ventre de ma mère, sa vie d'état civil tenait sur ces deux dates, un début et une fin, un horaire de train : rien.

Je ne pus m'empêcher d'activer l'hologramme. Et pourtant je l'avais déjà vu, je savais. Rien de plus sinistre qu'un hologramme vide. Une forme humanoïde debout, translucide, animée d'une lente oscillation. Un pantin quadrillé d'abscisses et d'ordonnées. Prêt à l'emploi, prêt à être nourri d'informations pour devenir le spectre de quelqu'un. Mais dans notre famille, ce mort-là, on le laissait en friche. Le spectre de mon frère : cette grande forme debout. Tout seul dans la Maison des Morts. Le plus déplaisant peut-être, c'était cette taille adulte, standard ; même ça, ce n'était pas réglé. Il devait bien y avoir un format bébé. Un programme pour l'enfant mort, qui ouvre les bras et dit maman. Sauf que j'étais la sœur. Dans la famille du Mort on demande la Sœur.

Je tapai *Echap* et quittai le fichier Paul Rivière. J'étais seule. La cabine sentait le renfermé.

Je me mis à explorer de nouvelles fonctions. Ils ne cessaient de progresser. Un programme olfactif proposait de recréer l'odeur du mort à partir d'un vaste fichier d'essences. Ma grand-mère sentait la poudre de riz, la laque Elnett et l'eau de Cologne. Son appartement sentait le potage et la cire à parquet.

Tout ça n'était sans doute pas très bon pour Épiphanie. Quand je sortis, avec un fort mal de tête, j'avais mitonné ma grand-mère molécule par molécule, mais son parfum originel s'était perdu dans un vertige.

Il faisait nuit noire. Je ne comprenais pas.
Quelle heure était-il ? J'avais oublié Tiot à l'école.
Il y avait un message de l'institutrice (en vieille
langue), puis trois messages *crescendo* de Diego.
Mauvaises mères de tous les pays, unissez-vous.

*

Quand elle rentra Tiot et Diego étaient endormis
l'un sur l'autre, le petit sur le grand, dans le canapé du
salon. Elle s'installa à côté d'eux et souffla sous son gros
ventre. Cela fit deux empilements, l'un masculin, l'autre
féminin. Deux pyramides. Deux divinités doubles et
bienfaisantes pour la maison.

Il n'était que vingt-deux heures, mais elle avait
l'impression de veiller dans une nuit sans bords, et d'avoir
enclenché ce mode de pensée de l'insomnie, extralucide
et saccadé, un alcool de fatigue. Les plaques temporelles
se superposaient, passerelles mentales et toboggans
logiques. Le pays n'était pas un lieu, c'était du temps, du
temps feuilleté, et elle était revenue y habiter.

À la télévision, des jeunes gens filmés façon réalité se
battaient à coups de polochon en chantant *Casimir*. Ils
avaient au moins vingt-cinq ans. Elle regarda un moment,
à côté des deux endormis. Épiphanie aussi devait être
dans un sommeil profond, c'était calme. Ça sentait l'œuf

au plat et le pain grillé, la petite fête des hommes ensemble. Elle avait faim. Le bébé pompait sur son cordon ombilical mais elle manquait d'énergie pour rejoindre la cuisine. Elle visualisait sa fille, directement branchée sur ses réserves de graisse : *mange !* Ses amies lui manquaient. Ses copines, avec qui avoir des conversations de filles, la liposuccion par nourrisson interposé, la grossesse ou comment prendre quinze kilos en trente semaines. Elle fixa le téléphone, mais il ne sonna pas.

Le double animal familial ronflait à ses côtés sur le canapé. La zapette devait être coincée sous eux. Ses deux hommes, princes au petit pois, auraient demain matin des bleus. Et dans son utérus l'autre partie de la ménagerie réclamait son souper. Elle était gigogne à l'infini, entourée d'eux et pleine d'eux. Elle sentait leur présence comme un champ magnétique, qui la portait et l'entourait mieux que l'air. Sans eux il ne serait resté que l'écriture, et les voyages. Une absence, sans eux. Une diffusion lente de ses atomes, jusqu'à l'évaporation complète. Elle aurait fini comme Pablo – non, comme son père. Nourrie au pire par une bonne âme, au mieux par l'écriture, échouée quelque part sur la planète – un lit, et un bout de mer à contempler. Il y avait des champions de jeûne et des athlètes de l'esprit, elle, son domaine, c'était l'absence. Écrire était le lieu où elle faisait l'expérience du vide. Aucun motif d'incarnation, hormis à la télévision, pour vendre.

Il aurait fallu écrire j/e. Un sujet ni brisé ni schizoïde, mais fendu, décollé. Comme les éléments séparés d'un module, qui continuent à tourner sur orbite. J/e courais, devenue bulle de pensée. La route était libre, j/e courait. J/e devenait la route, les arbres, le pays. Le pays était un point d'origine comme Kourou est la base de lancement d'Ariane, Baïkonour celle de Mir et Cap Canaveral celle de la Navette. Des lieux excentrés et vides, des zones qui n'existaient que pour le décollage, et proches de la mer en cas de chute. Un pas de tir, voilà d'où j/e venait.

*

Ceux qui viennent pleurer leurs morts dans ces Maisons, ou les honorer, que sais-je, stabilisent en général l'hologramme à l'âge du décès si le mort était présentable ; ou choisissent cet âge idéal où l'on est un grand-père avant d'être un vieillard. Plus jeunes on les dote d'un corps glorieux, hors du temps et de la maladie.

La Maison des Morts compte surtout des personnes âgées. Les sujets jeunes, depuis les vaccins et les antibiotiques, forment un groupe minoritaire. La pyramide des âges pourrait se dessiner aisément, en négatif de celle des vivants. Mais le fils de mes parents, lui, avait été piégé

211

dans le tout petit coin maudit de la pyramide, celui des enfants morts. Et de ce chagrin je ne savais rien, de ce chagrin de quarante ans ; de celui qui manquait rien n'avait été dit. On avait adopté Pablo, à la place. Le nom de *Paul Rivière* et les bornes de sa courte vie avaient été inscrits sur le registre de la Maison des Morts automatiquement, par l'état civil de B.Nord.

Beaucoup de familles laissent libre accès à leurs morts, comme dans un cimetière où tout le monde circule. On visite un parent mais il arrive qu'on se recueille, qu'on dépose une fleur, un caillou, sur la tombe d'un inconnu. On sait ce que c'est, de trouver sur son chemin la courte tombe d'un enfant ; on sait que le fil de la journée en vacille. À laisser libre accès à leurs Morts, certains espèrent aussi un apport de données. Les visiteurs auront des retours de mémoire, fignoleront les hologrammes ; ou régleront des comptes post-mortem. Nos morts à nous sont protégés de telles initiatives.

Mais mes parents ne s'étaient pas souciés de verrouiller l'accès à *Paul Rivière*, aucun code ne le protégeait. Je commençai par ça, je le plaçai sous le code des morts de notre famille, dans notre caveau virtuel.

Il y a deux ou trois ans, le canal Saint-Martin, à Paris, avait été vidé de son eau. Il formait un étrange canyon dans la ville, plein de boue craquelée, et de vélos, caddies, frigos, bidules, choses informes.

Pour les sujets jeunes, il existait un programme de vieillissement. Le mort accompagnait la vie des endeuillés, devenait ce qu'il ne pouvait plus être. Les petits garçons muaient, les seins des petites filles poussaient. Ils avaient des adolescences et des âges adultes. Ne voyait-on pas des familles organiser des rencontres post-mortem, des sortes de mariages, rêver une descendance?

La Maison des Morts est, pour certains étrangers, une institution d'un goût douteux. Nous sommes des sauvages aussi sûrement qu'à l'époque où nous grattions les os des cadavres. Le Pays Yuoangui est l'Afrique de l'Europe. Nous attirons autant d'anthropologues que les Pygmées et les Masais.

Le *nous* me venait spontanément quand j'évoquais nos traditions funèbres, par une sorte de solidarité indigène. J'étais de mauvais goût moi aussi. J'avais le mauvais goût d'écrire, de me faire remarquer. S'il avait fallu, pour la Maison des Morts, se mettre une plume dans le derrière, je me serais pliée joyeusement à la coutume. Ma mère aussi était de mauvais goût, ses œuvres étaient grandiloquentes, énormes et organiques. Le Pays Yuoangui avait le mauvais goût de vouloir exister. Mais rien n'était de plus mauvais goût, universellement, que la mort des enfants. Rien n'était plus inquiétant, rien n'était plus malséant, que la mort des enfants.

Quand nous nous promenons au bord de la mer, Tiot et moi, nous lançons des bouts de pain aux mouettes, trempés dans de la moutarde ou de la bière. Nous guettons la première mouette à donner des coups d'aile en désordre, *zing zong*, comme une poule qui s'entraînerait à planer.

Dans l'arbre généalogique, une petite impasse, une petite branche morte : Paul, né un jour et mort le même mois.

Je les regardais, mon père et ma mère, aussi accidentels que tout parent pour tout enfant, aussi étranges et familiers. Je les regardais et j'essayais d'imaginer leur histoire, leur histoire qui continuait, qui se superposait à la mienne. L'histoire de leur chagrin. J'étais la sœur, eux les parents. J'étais orpheline d'un frère, eux d'un fils. Je ne pouvais pas davantage participer à leur histoire qu'eux à la mienne.

Il n'y a pas de fourrière, à Berlin. La ville est tellement vaste, depuis la chute du Mur, que les autorités se contentent de tracter la voiture dans un autre quartier. Pour connaître son emplacement, il faut payer l'amende. Certains préfèrent passer des semaines à chercher, selon la technique bien connue de la spirale : on prend toutes les premières rues à droite, puis la première à gauche, et ainsi de suite, on s'excentre lentement de son point d'origine.

J'ai cherché quoi entrer, comme données. J'avais le temps désormais : j'étais au pays. Je pouvais m'occuper un peu de ce frère-là, comme on débroussaille une tombe, comme on lave l'inscription sur le marbre. Sans photo du défunt, l'ordinateur proposait une sorte de portrait-robot à partir des traits récurrents de la famille. Une banque de nez, de fronts, de cheveux et de peaux dans lesquels on pouvait choisir. Même Pablo avait fini par ressembler à mes parents, son nez inca était devenu yuoangui, feu Amona l'avait bien remarqué. Mais un bébé si jeune, à quoi ressemble un bébé si jeune ? Ils ont des têtes de vieillards, mais pas tous ; ils ressemblent à leurs parents, mais pas tous ; ils sont rouges et fripés, mais pas tous. Ils ont chacun un visage, c'est ça le plus extraordinaire ; un visage serré comme un poing et prêt à se détendre, à sourire, si le temps leur est donné.

On trempe les origamis dans l'eau et le papier se déplie, insecte, animal ou fleur...

Un jour, lors d'une promenade du côté de C. Ouest, Tiot trouve quelque chose dans un rocher. Au début nous croyons à deux étoiles de mer qui copulent (à supposer qu'ainsi copulent les étoiles). Mais non, c'est une seule étoile, grosse comme deux mains. Un morceau du monde, une chose en vie. Tiot la taquine du bout du pied, elle plie ses branches rouges et palpite, fluorescente. Elle se surimprime au fond rocheux comme si nous avions regardé le soleil trop longtemps. Elle a huit branches, cette étoile, et quand je la retourne du pied ce sont deux bouches qui s'ouvrent, pleines de cils dans son centre charnu. Deux étoiles, non l'une sur l'autre, mais mêlées l'une dans l'autre, poussées ensemble chromosome à chromosome. Une mutante. Il y en a, paraît-il, des colonies entières du côté de C.Ouest.

Je commençai à procéder au hasard, combinant les éléments ; c'est ainsi qu'on donne à ses morts des gueules d'assassin. Mais je savais que j'allais vers Tiot, pour moi un petit garçon c'est

Tiot. Un petit garçon, ç'avait été Pablo, aussi. Je tapai *Echap* avant que l'hologramme ne s'anime, et cherchai du bois à toucher dans cette cabine toute de moquette et de métal.

*

Elle roulait vers la Maison des Morts, elle faisait des détours pour faire durer. *Bonjour, nous habitons une jolie maison et nous avons trois enfants.* Leçon 10 de sa méthode de vieille langue, ça avançait lentement. Temps vif, mer en miroir. Les fermes d'engraissement des thons n'existaient pas quand elle était plus jeune. De grandes nasses dans la baie de C.Ouest, à l'emporte-pièce dans la mer lisse. Les thons, futurs sushis, crevaient d'une mode – délicieuse au demeurant – comme les autruches autrefois étaient mortes des chapeaux. Aussi serrés que des anguilles dans un sac, ventres et nageoires apparaissant et replongeant, un banc transformé en nid monstrueux.

Bonjour, nous habitons une jolie maison et nous avons trois enfants. Les panaches de la centrale faisaient une ombre oscillante. La centrale est au pays ce que les vierges météo sont à Lourdes ; les cheminées ne virent pas rouge ou bleu selon l'humidité, mais on peut savoir, en ouvrant ses rideaux, s'il fait froid et sec – deux

217

épaisses colonnes de vapeur – humide et doux – elles disparaissent – ou venteux d'Ouest, venteux du Nord, ou si le vent du Sud les effiloche.

En 1986, l'année où Pablo devint fou – sa mère n'avait-elle pas, un temps, accusé Tchernobyl – elle faisait des cauchemars. La mer vaporisée sous la presqu'île. Le jardin vitrifié, les murs de la maison comme de la cendre debout. Les oiseaux brûlés en vol, les arbres roux en plein avril. Ce matin-là à Tchernobyl. *Bonjour, nous habitons une jolie maison et nous avons trois enfants.* Quand la centrale s'était construite, ils avaient reçu un prospectus de consignes de sécurité. Se calfeutrer dans une pièce noire, allumer la radio et attendre. Papa maman Pablo et elle, mangeant Le Chien dans leur cave. Mais la mer était là, fidèle et indulgente. La mer était là, brasseuse d'iode et d'oxygène. *Nous habitons une jolie maison et nous avons trois enfants.*

Le bernard-l'hermite hors de sa coquille cherchait tout nu un abri neuf. Le premier coquillage était si grand que ses pattes de derrière ne pouvaient pas s'y accrocher, et ses pattes de devant ne pouvaient pas le traîner. Le deuxième coquillage était si petit, qu'aucune de ses pattes, de derrière ou de devant, ne pouvait s'y caser. Le troisième coquillage était parfaitement à la taille pour les pattes de derrière et devant, et le bernard-l'hermite s'y glissa tout content.

Est-ce que ça existe, la mentalité d'un pays ? L'âme slave ? Le pragmatisme anglais ? L'ordre allemand ? Elle avait lu quelque part que les Russes finissaient toujours par s'en remettre au hasard. À cause de l'insondable taille de leur pays ? L'Union soviétique était traversée par douze faisceaux horaires. Les Russes engueulaient leurs machines, quand les Allemands les réparaient. Dans un petit pays, est-ce qu'on cherche plus qu'ailleurs à maîtriser son destin ? Plus un pays est grand, plus ses habitants sont fatalistes, et plus un pays est petit, plus on y croit possible de fléchir le cours des choses ? Le Japon contre la Chine ? L'Islande contre la Sibérie ? Tchernobyl maintenant est en Ukraine. L'Union soviétique paraîtra peut-être à Tiot aussi étonnante et lointaine, aussi impossible, que l'Égypte des pharaons pour elle. Seules des traces énormes, pyramides et sarcophages, font preuve. *Nous habitons une jolie maison et nous avons trois enfants.*

Épiphanie fit une cabriole et se cala dans son flanc gauche, comme si désormais elle comptait rester là. Elle occupait toute la place, forçant contre les bords, pivotant avec précision dans le socle des hanches. Et du bout des doigts on pouvait remonter le long de ses vertèbres, jusqu'à ses fesses rondes et dures. Le diaphragme maternel se déformait par-dessus.

Pour les affaires courantes, elles communiquaient en morse : *bouge de là, arrête de gigoter,* selon que la petite piétinait le foie de la grande ou que la grande écrasait la petite. Quant à lui parler ou lui chanter des chansons, il était bien trop tôt pour l'embêter; les bruits du monde pourvoiraient à son éducation fœtal.

Finalement la vie aurait pu passer ainsi, d'aire de pique-nique en aire de pique-nique, de point de vue en point de vue. *Rentre écrire.* Elle aurait déjeuné quelque part, fait trois courses au centre commercial, puis elle se serait enfoncée dans la montagne, jusqu'au promontoire où on voit les vautours. Elle aurait poussé vers la cascade, et jusqu'à Ur, aux tumulus. Elle aurait laissé un message à son mari, de se débrouiller quelques jours avec Tiot; et elle aurait fait le circuit habituel des tours operators, *Pays Yuoangui mer et montagne*, avec découverte des petites criques cachées. Elle aurait bu des margaritas à des terrasses d'hôtels, soleil couchant sur l'Atlantique. Aurait dormi dans des *king size* pour elle toute seule.

Bonjour, nous habitons une jolie maison et nous avons trois enfants. La phrase en vieille langue semblait un seul long mot fait de r et de u, comment une maison et trois enfants se casaient-ils là-dedans? D'ailleurs le mot *maison* avait autant de prononciations que le pays comptait de maisons ou presque. Une des premières choses qu'avait instituées le Gouvernement Autonome, dans les années quatre-vingt (en plus de la Maison des Morts) c'était une Académie. Un mot moyen avait été décidé pour chaque élément du monde. Tiot n'apprenait pas la langue qu'avait parlée Amona. C'était une nouvelle vieille langue que parlaient l'institutrice, et Christelle, et tous les fonctionnaires, et qu'elle-même était réduite à ânonner dans sa voiture. La langue ne flottait plus entre les gens, de famille en famille, de groupe en groupe. Elle était désormais endiguée dans des livres; et elle, dans son pays (si c'était son pays) à défaut d'être prophète elle était analphabète.

Le mot maison, quand même, elle l'avait dans l'oreille, parce qu'ici tout le monde s'appelle *maison-neuve* ou *maison-dans-la-montagne* ou *maison-du-bout-de-la-rivière-à-côté-du-vieil-arbre* comme partout sur la planète. Le mot maison sonnait au tout début de la phrase en yuoangui. On pouvait compter sur la maison, sur ce repère; et habiter une maison, ça, elle savait faire. Elle-même était une sorte de maison.

Le mot *yuoangui*, en vieille langue, veut dire *être humain*, comme *inuit*, *pygmée*, *papou*, et tous les sauvages du monde.

*

Un petit *tap tap* contre une cloison. Ou un robinet qui gouttait. Une secousse régulière, légère, comme un battement cardiaque – ça venait de moi.

221

C'était dans mon ventre. Ça m'avait réveillée. Je me souvins que j'étais enceinte. Je venais de très loin, de bien avant cette grossesse, ou de bien après, avec une Épiphanie adulte à mes côtés. Que se passait-il ? Jusque-là elle avait cogné franchement et irrégulièrement, pas à la façon d'une horloge.

Je me levai, le rêve tomba à mes pieds comme un drap, je vis que le soleil était déjà haut. Puis je compris, ce tic-tac dans le ventre – Tiot aussi, vers le septième mois, avait souvent eu le hoquet.

Les deux hommes dormaient, Diego à côté de moi, Tiot dans un lit pliant. Nous avions pris une chambre au-dessus du Billabong. La pluie avait lavé le ciel et c'était une de ces journées bleues, amorties par le Gulf Stream, d'une tiédeur estivale en plein hiver. Une fine brume blanche estompait les montagnes, et la marée montante rameutait les vagues.

Je mis ma robe stretch et tressai mes cheveux, *hic hoc*, rangeai un peu, *hic hoc*, et enfilai les tongs que j'avais apportées au cas où il ferait beau. *Hic hoc*. Nous étions prêtes à aller petit-déjeuner, Épiphanie et moi.

Le Billabong avait été mon *spot* à l'époque où j'attendais, en bikini, que mes amis surfeurs d'alors daignent regagner le bord. Le soir, je dansais sur les tables. Maintenant c'était un *bed and breakfast* : le seul ouvert à Tubarão pour les vacances scolaires de février.

Tubarão est le point le plus au Sud du pays. Deux rues, un front de mer, des boîtes de nuit en planches démontées pour l'hiver, et quelques villas somptueuses non loin de campings vides. Tubarão, c'est le nom de la vague, celle qui se brise ici. On se gare et on la voit : basculant contre le pays. Un mur d'eau droit et lisse, la plus belle vague d'Europe. On la vénère, Tubarão, on la commente, on prononce son nom, mais peu nombreux sont ceux qui la surfent.

J'eus l'impulsion d'appeler Pablo, de lui faire écouter Tubarão, là-bas, dans son hôpital. De faire débouler Tubarão dans le cerveau de Pablo. Mais il ne fallait pas perturber le cours de ses pensées ; cela ne servirait qu'à nous gâcher la matinée à tous les deux.

Un couple d'Allemands buvait du thé contre la baie vitrée. Deux jeunes Yuoanguis en sweat-shirt de surf faisaient un billard, et deux dames à cheveux mauves, anglaises, beurraient des toasts. Le décor ne ressemblait à rien, un salon de thé dans une cabane bambou. « Un jus d'orange et des œufs » demandai-je au comptoir, et tout le

223

monde se retourna. On aurait dit que personne n'était entré ici depuis le début de la morte saison, et que des fantômes y buvaient le même thé, y jouaient la même partie de billard hors du temps, pendant que Tiot et Diego dormaient à l'étage d'un sommeil innocent.

La mer n'avait pas changé. La vue n'avait pas changé. Mais le temps était mesurable. J'avais vingt ans de plus, un enfant et bientôt un autre, le sang battait dans mes veines et l'afflux de sucre faisait galoper Épiphanie. « Le temps est féminin » dit ma star de mère aux journalistes, en faisant jaillir des étincelles derrière son masque de soudeur. La falaise avait peut-être un peu reculé. Les strates à vif dessinaient des vagues, et les blocs tombés avaient des formes rêveuses, comme les nuages. On y voyait des visages, des sorcières debout, des harponneurs de baleine.

J'avais apporté mon cahier, « Le Pays ». Je l'ai ouvert sur la table humide, trouver la page n'était pas bien compliqué : d'écrites, il n'y en avait que trois. Je restai un certain temps dans cet état d'avant l'écriture : cahier ouvert, pages attentives. Aplats blancs et flashes de couleur, fluctuations lentes et rapides, plis qui froissent le vide et se mettent à le remplir.

J'écrivis la première scène dans la Maison des Morts, je l'écrivis immédiatement après les pages d'intro. C'était un horizon. Je relevais fréquemment la tête. Les deux Anglaises s'étaient partagé le *Guardian*, les Allemands étaient partis, et Tubarão se rapprochait. Toutes les deux ou trois phrases quand je relevais la tête elle montait avec la marée, plus proche par à-coups, comme quand on joue à *un deux trois soleil*. Tout était distant et surréel, j'étais dans *Le Pays* et pas dans le pays. L'espace entre les deux était un territoire, un pays de possibles.

Des surfeurs fartaient leurs planches appuyées contre la murette. Personne n'était encore à l'eau. Un instant plus tard, une phrase plus tard, ils étaient une dizaine dans la mer, à califourchon, attendant comme des mouettes sur les hauts et les bas de la houle. Et une phrase plus tard encore, Tiot et mon mari étaient descendus, j'écrivais dans leurs miettes et le parfum du chocolat, j'étais dans *Le Pays* et celle qui habitait le pays s'occupait d'embrasser et de bavarder pendant que ma main embarquée finissait sa phrase. Une phrase, cinq à vingt minutes. Et relever la tête, comme on prend de l'air, sans y penser,

nageant. Embrassant et bavardant. Regardant
par la fenêtre et buvant une gorgée de thé. Écrivant encore une phrase, sur les hologrammes de
la Maison des Morts, et sur la maison maternelle,
et la caravane paternelle. Regardant mon fils et
songeant fugitivement qu'il était une des plus
belles rencontres de ma vie.

Ce n'était pas la caravane de mon père mais
son équivalent-texte, une caravane de papier, un
alias : avec des signes je les recréais, la maison,
la caravane, les morts ; codes, agencements et
rythmes, une caravane inhabitable mais qui était
davantage caravane que ce qui m'était percep-
tible au fond du jardin de ma mère. Une caravane appropriable par moi et d'autres, et qui
n'expropriait pas mon père ; une maison de ma
mère que chacun pouvait visiter et où ma vraie
mère n'avait pas de chambre ; une Maison des
Morts qui ne profanait pas les cadavres.

« Laisse » dit la partie de mon cerveau qui était
au Billabong, à mon mari qui gentiment empêchait
Tiot de grimper sur mes genoux. Le chocolat coulait
de son menton sur mon cahier, de la main gauche je
l'essuyai. Entre chaque phrase il y avait le risque et
l'envie d'arrêter, je relevais la tête et voyais les surfeurs commencer leur noria, et la vague ouvrir la

gueule, lâcher de longs fils blancs comme de la salive. Si je restais oscillante, en suspension, dans l'absence délicieuse qui est le rythme des phrases, elles me happaient et je glissais. Mais si je me demandais, ici et maintenant, quelle était la phrase suivante, au lieu de me laisser porter je décrochais de la cadence.

Mais je glissais, de phrase en phrase je glissais, au rythme de ce que j'entendais dans ma tête.

*

Dans la partie du journal que lit Diego (ils se sont partagé *El País* comme les vieilles Anglaises leur *Guardian*) un acteur raconte le rôle de sa vie, dans un film énorme, une somme sur l'état du monde. Il est le jeune commandant d'un sous-marin atomique. Le sous-marin erre entre deux eaux depuis la fin de la Guerre froide, pendant qu'à terre les guerres changent de genre et de lieu. Sa femme attend un enfant, elle semble enceinte depuis des années, depuis la chute du Mur, elle attend que son mari revienne.

– C'est une film sur notre génération, commente Diego. Tiot le verra comme nous voyons *Le Cuirassé Potemkine*, avec curiosité et sympathie.

– Ce sont les hommes, qui attendent les enfants. Les femmes les font.

– Je peux continuer ?

– Tu peux continuer.

L'acteur invite ses parents, sa fiancée, ses amis, à la première du film à Cannes. Lui-même va découvrir le film monté et terminé.

– Dans les années trente, la mairie de B. sur Mer a refusé ce petit festival de cinéma qu'une équipe de farfelus lui proposait. Mais la ville de Cannes a dit oui.

– Je peux continuer ?

– Tu peux continuer.

Le film commence. Ça ne ressemble pas à ce que l'acteur a cru tourner. Tout se passe à terre. La femme a un amant, il semble même que l'enfant soit de lui. Le mari est hors champ, en mer. Le paysage est continental, des champs de coton oscillent sous le soleil. L'amant est un agent secret, recruté parce qu'il est télépathe, il tient le monde entre ses mains. L'enfant que porte la femme est une sorte de messie, tout le monde l'attend et en parle à voix basse. De temps en temps, il y a de très beaux plans sur la mer vide. De temps en temps l'acteur se voit entre deux portes – et dans la salle, à Cannes, sa fiancée lui serre fort le bras – levant la main pour dire au revoir, fumant une cigarette sur un embarcadère. Un figurant. Le film s'est décentré sur l'histoire

228

de l'enfant. Le personnage de l'acteur a été coupé au montage ; tout le fil narratif qui le faisait exister a été extrait des bobines comme on tire une maille d'un tissu, ou une veine d'un organisme. L'acteur a convoqué sa famille, sa fiancée et ses amis, pour assister au spectacle de sa disparition.

– C'est une histoire pour toi, dit Diego en pliant le journal. Je te la donne.

*

Nous prenons le soleil sur la jetée, Tiot est un peu plus bas à farfouiller dans les rochers. Diego se réchauffe après le surf, nous partageons du café et des sandwiches. Tubarão a mangé presque toute la plage. Les collègues de Diego rentrent aussi. Il reste un scooter des mers qui tracte un surf, dans cette passe entre deux vagues qui ressemble à un *check-point* : il faut faire vite, c'est sérieux, ça se passe entre hommes, prendre la bonne décision au bon moment. Tubarão se reforme à quelques mètres. L'eau laissée par son effondrement a balayé un large territoire de mer, blanc, très plat, remué en profondeur par les masses en reflux. Les deux héros en néoprène, l'un sur le scooter, l'autre sur le surf, gravissent la pente derrière la vague. Au moment où elle baisse la tête – plus toro que requin – accélérer, lâcher, dévaler, surfer…

Diego, selon notre jeu habituel, imbibe d'une saloperie quelconque des bouts de pain qu'il jette aux mouettes. Tiot exulte, tête renversée vers le ciel. Ils jouent, parce qu'ils sont les maîtres du monde. Tiot joue, parce qu'il est un petit de maître du monde, et que l'océan minuscule, la planète pelée, le ciel vide et les mouettes outragées sont à lui.

– Nous habitons ici. C'est parce que je suis revenue que je sais que j'habite ce pays. Est-ce que j'ai habité *à* Paris ? Ici je me sens debout sur la Terre.

– Te voilà bien philosophe.

– Je me demande si habiter et habitude ont la même racine.

– En espagnol ils ne paraissent pas.

– Nous sommes les habitants de ce pays. Je m'en rends compte. Nous ne sommes ni Robinson, ni Ulysse, mais des sédentaires, presque des îliens.

– Tu commences une livre, ou une dépression ?

– *Un* livre. La dépression, c'est quand je ne sens plus la planète sous mes pieds. Être ici ou ailleurs devient indifférent. « Je ne sais plus où j'habite », c'est comme ça qu'on dit.

– Alors reste avec moi. *Quedate conmigo.*

– Je pense aux habitants de Bikini.

– Bikini.

– Dans le film de l'explosion, l'atoll saute en l'air et puis retombe, comme une crêpe. Les Américains avaient évacué l'île, mais pas la zone de pêche. L'équipage d'un chalutier japonais a entièrement péri. Mêmes symptômes qu'à Hiroshima et Nagasaki. Gros incident diplomatique. Et le nuage est passé sur tout l'archipel. Leucémies, cancers, monstres dans les familles pour des générations.

– Les îles sous le vent.

– Les îles sous le vent.

– C'est une histoire pour toi, pas pour moi.

– Tu aimes ce pays?

– Je trouve que le point de vue est joli.

– Dis-moi désastre en espagnol.

– *Desastre.*

– Est-ce qu'ici, on est à l'abri? Est-ce qu'on est au cœur du monde, ou est-ce qu'on est à l'écart?

– Regarde, on voit l'Europe.

La brume s'était levée et de grands champs plats, labourés pour l'hiver, luisaient au loin. Le soleil de trois heures était oblique et on voyait jusqu'aux marais du Pripet, jusqu'à l'embouchure du Boug et jusqu'au lac des Tchoudes, et jusqu'à la Svir qui relie le Ladoga à l'Onega. Plus au fond encore, à peine distincts du ciel, des sommets d'une hauteur moyenne semblaient des nuages. Diego nomma le Sablia et l'Iremel, l'Oural.

– Entre le moment où Primo Levi quitte Auschwitz, et celui où il parvient à prendre un train pour le retour, il erre, toujours trop à l'Est. Il est heureux de voir, après des mois de steppe, des villages avec des vignes, des champs verts clôturés, des collines. Un semblant d'Italie. Mais un chameau fait une apparition : il n'est encore que dans l'étrange Moldavie, si loin de Turin.

– L'Europe est plus grande que les États-Unis, mais plus petite que l'Antarctique.

– Ah ?

– Je te le dis.

Tiot m'appelle, je me tourne vers la gauche, Épiphanie se tourne vers la droite : je tombe. La grande boule autour de la petite boule. Deux danseurs de tango l'un dans l'autre. La jetée monte vers moi avec la vague, Diego me retient.

– Quedate conmigo.

*

232

Sur les rives de la rivière à sec, en Tasmanie, il y avait une réserve naturelle spécialisée dans les wombats. Un nom qui évoque *womb*, la matrice, et *bat*, la chauve-souris. Elle n'avait jamais entendu parler des wombats, avant. Le wombat est l'animal par excellence. Il a quatre pattes, un ventre et une tête, un museau, des oreilles ; petit, court, myope. Dormant beaucoup. Mi-taupe mi-cochon, de la taille d'un gros lapin, couvert d'une fourrure brune, il est ce qu'un enfant dessine quand il pense à un animal. Certains Australiens l'adoptent comme petit chien, mais il est inconnu de la plupart des humains. Si Dieu a créé l'Australie le huitième jour, le wombat est certainement l'ultime effort de son imagination épuisée.

Dans la réserve, on leur avait bâti des terriers spéciaux, semi-enterrés, en bois. Des familles, sans se faire prier, y avaient élu domicile. Le goût de l'effort ne caractérise pas le wombat. Il suffisait de soulever le toit mobile pour voir le père, la mère, et deux ou trois petits, roulés en boule et clignant des yeux. De visiteur en visiteur, leurs trois neurones semblaient incapables d'enregistrer le caractère amovible de leur toiture. Et c'était un délice de voir s'ébrouer, ahuris, ces petits êtres chauds et dodus.

Elle n'aimerait pas, pendant sa sieste au fond de sa maison, qu'un géant tout à coup en soulève le plafond.

On appelle « bébés étonnés » les bébés nés par césarienne. Roses, lisses, reposés, n'ayant pas lutté entre

233

les os des hanches, et ouvrant des yeux frappés de stupeur. Lumière soudaine. Air, pesanteur, rupture. Refusant de dormir pour comprendre. Et des heures durant, le « où suis-je ? » leur tiendrait lieu de pensée.

Étonné a la même racine que *tonnerre*. Un film vidéo amateur du 11 septembre 2001 montre un petit groupe de gens, une famille, peut-être des touristes, qui se promènent le long de l'Hudson en face de Manhattan. Parmi toutes les vidéos, ces images d'en face, presque paisibles, la famille sur la berge, lui disaient quelque chose. La foudre sur leur visage étonné.

Quand Crazy Horse perd sa fille de huit ans, d'une maladie des Blancs, il porte le petit corps sur une plate-forme funéraire, au sommet d'une colline, selon le rituel sioux. Et il la veille, seul, vingt-quatre heures durant, sans boire ni manger, sans bouger. Le grand chef guerrier et sa petite fille.

Les archéologues cherchent d'abord les traces de sépulture, avant les silex taillés, avant même les crânes, les vertèbres et les fémurs. La trace d'une question, la trace d'une pensée, l'indubitable civilisation. Ce que les humains font que les animaux ne font pas, la ligne entre les morts et les vivants : le signe.

*

J'avais un souvenir de lui. Je l'avais vu dans l'Eurostar : Paul Rivière, ce frère.

Mon ami Walid, qui est psychanalyste à Londres, fêtait son anniversaire au *Groucho*, et je m'étais promis de ne pas boire, demeurant aux abords d'un délicieux saladier de *cranberry juice*. J'aurais dû me douter que même les Anglais ne servent pas le jus de fruit en saladier. « *This cranberry juice is excellent* » fut mon refrain de la soirée. À mesure qu'elle avançait, la soirée, mon anglais devenait de plus en plus *fluent*, je voulais vivre à Londres, ville merveilleuse, avec ses Londoniens merveilleux, garçons et filles, avec qui je dansais – « l'humanité est merveilleuse », expliquais-je à Diego sur un portable que j'empruntai, c'était le tout début des portables, juste un petit coup de fil à Comodoro Rivadavia. Mon futur mari y enterrait son vieux père. Le coût prohibitif des billets de dernière minute avait exclu l'idée que je l'accompagne, je pouvais donc fêter sans remords l'Angleterre, Walid et les Anglais au *Groucho* ce soir-là. Dans moins de cinq heures j'allais apercevoir mon frère dans l'Eurostar.

J'avais déjà abandonné l'idée que les effets ont des causes dans un déroulement temporel ; ou que ce qui arrive s'annonce par des signes qu'il

235

suffirait de décrypter. Les récits sont faits de zones débordant les unes sur les autres, creusant des failles ou des réservoirs. L'ivresse me prêtait des formules : « Les événements dérivent, liens détachés ; ils laissent sur une carte trouée de taches blanches des lieux indécis et fluctuants. »

Dans cette journée londonienne, qu'est-ce qui se prêtait à l'apparition de mon frère un peu plus tard dans l'Eurostar ? La présence de la vodka dans le *cranberry juice* ? Le petit va-et-vient des patients de Walid, dont le travail soulevait les spectres comme la poussière sous un balai ? L'exposition de ma mère à la Tate ? Ou simplement le manque de sommeil ? Quelque chose que je portais depuis longtemps, une impression profonde, la forme en creux d'un disparu, allait projeter dans l'espace une sorte de corps.

Ou bien avait-il, lui, quelque chose à me dire, lui qui n'avait laissé que ce sentiment de l'absence, et cette familiarité des fantômes, et une forme de chagrin sans issue ?

Je dormis vingt minutes dans un canapé du *Groucho*, me relevai héroïque et saoule, et marchai jusqu'à la Tate dans l'air vif du printemps londonien. Ma mère avait lu mon premier livre, gentiment et sans commentaire : je pouvais bien lui rendre la pareille en visitant son exposition. J'entrai dans Park Lane, droit sur la Serpentine – j'aurais pu vivre ici, m'installer dans la chambre d'amis de Walid et écrire tranquillement, dans le murmure de ses patients (sonnette, porte ouverte, porte fermée, murmure) sans autre souci domestique que d'éviter de les croiser, et d'être aimable avec ses amants. Je boirais du Tetley en feuilletant *Dazed and Confused*, Walid m'entretiendrait, je serais à l'abri.

I love London! me disais-je dans les vapeurs de la vodka et de la Serpentine. Je croyais que la Manche m'éloignerait du Pays, alors que je quittais seulement la France. Les fantômes ne traversent pas la mer, croyais-je. À Londres, croyais-je, je revêtais une autre peau. Tout me quittait, une mue tombait de moi. Les écureuils sautillaient, les bus à impériale et les cabines téléphoniques étaient rouges, et sur Hyde Park Corner un orateur prédisait la fin du monde. L'ailleurs était comme toujours, il n'y avait pas une minute à perdre, je marchais héroïque et saoule dans la carte postale de Londres et le printemps fonçait sur moi comme il s'abat en Angleterre, par giclées de pétales et d'averses, de soleil froid et de gaz de chauffage urbain.

L'oxygène me faisait l'effet de deux Alka-Seltzer jetés dans mes fluides. J'avais vingt-six ans, *those were the days*, dix années de plus et une série de biberons à l'aube m'ont fait chérir le sommeil. Trois heures plus tard j'allais découvrir mon frère dans l'Eurostar, mais d'abord je descendis tout Belgravia, maisons blanches, ambassades, et la série de ruelles qui ont échappé au Blitz. « Regarde Londres » m'avait appris Walid, sa main traçait des lignes dans le ciel et je voyais le trajet des Heinkel et des Messerschmitt, et les pointillés réguliers des bombes : une maison victorienne, une construction récente, une maison victorienne, une construction récente. Londres était faite de diagonales, de vols au ciel et de cratères au sol. Je louvoyai, entrai dans le petit square où les Bourgeois de Calais ploient leur cou de bronze, contournai les maisons du Parlement et me penchai sur la Tamise.

*

Le scénario était au point depuis longtemps. Si un jour, vieillesse ou lassitude, elle décidait de se suicider, à supposer qu'elle trouve le courage elle saurait, techniquement, comment s'y prendre.

Elle se procurerait une arme à feu, ça ne devait pas être si difficile que ça. Maniable et pas trop encombrante.

Elle se procurerait aussi une bonne hache.

Elle achèterait un petit bateau : barque à rames ou 420. La somme prélevée ne léserait pas trop ses enfants, et ce n'était pas non plus le moment de lésiner. Ou barque à moteur, type zodiac, si la vieillesse ou la maladie l'empêchait de ramer, ou si, au dernier moment, l'idée de devoir se battre, encore, contre les éléments, et de retrouver des rudiments de nautisme, lui paraissait *too much*.

Elle emporterait quelque chose d'agréable, par exemple un bouquet de pivoines si c'est la saison, et une bouteille d'un grand bordeaux, avec un joli verre.

Elle se serait confectionné un vêtement spécial et pourtant élégant, un tailleur-pantalon suffisamment ajusté pour ne pas se défaire au dernier moment, et dont la doublure, les poches, les ourlets, tout ce qui peut se coudre et se fermer, serait rempli de plomb.

Idéalement elle aurait attaché des boulets à ses chevilles ; mais l'idée lui déplaisait, et puis, où trouver des boulets ? Le vêtement suffirait, sans doute.

Elle prendrait le large, ramant, tirant des bords, ou dans le *pout pout* d'un moteur.

Quand elle se sentirait suffisamment loin, elle se laisserait dériver. Elle ouvrirait le bon bordeaux, ferait une dernière libation, contemplerait les fleurs… et la mer… et puis elle donnerait de grands coups de hache dans le fond du bateau. Et quand elle serait bien sûre qu'il ne pourrait que couler, elle se tirerait une balle dans la tête.

Elle aurait consulté par avance un schéma du cerveau pour être sûre de ne pas se rater. Mourir par noyade doit être épouvantable.

Le vêtement l'entraînerait par le fond. Avec un peu de chance, on ne retrouverait son corps que très tard, et si bien nettoyé par la mer et les poissons qu'il ferait un squelette acceptable. Toutefois, pour prévenir tout désagrément, et dans le souci de n'embêter personne, elle aurait pris la précaution de se *garnir*. À supposer que son corps émerge malgré tout, le tailleur-pantalon resterait propre (et la mer suffirait sans doute à laver le sang). Les sphincters se relâchent, tout le monde le sait, c'est le principal problème quand on veut partir dignement.

Elle se demandait parfois si la meilleure solution, pour éviter au corps de revenir trop vite, n'était pas de s'enchaîner à une ancre. Mais l'effet lui semblait mélodramatique. Elle s'imaginait post-mortem au fond d'une mer-aquarium, en petit squelette décoratif, se balançant… Passe encore de devoir se mettre une couche ; autant essayer de ne pas en rajouter par ailleurs.

*

240

Un vent salé remontait le fleuve. Marée basse. Quel effet pour quelle cause? Dans trois petites heures j'allais rencontrer mon frère, Paul Rivière, celui qui est mort, il me suffirait de traverser le pont vers Waterloo Station. La Tamise est un fleuve à marées, elle titube, on peut marcher sur ses plages, plonger les doigts dans la boue noire et rester là, au bord de la mer. Il y a des boîtes de conserve et des vélos rouillés, des paquets de Wriggley's et de Silk Cut. La Seine encaissée dans Paris intacte, aussi intacte que Kyoto, la Seine domestiquée de quais était désormais à un jet de train de la Tamise héroïque et saoule.

À Londres je me laissais faire par la ville et par la langue, je n'étais plus de nulle part. Une enveloppe féminine marchant dans les rues, ciel très grand sur les immeubles bas, trouées des parcs, étalement, odeur de cannelle et friture, et ce tapis roulant de mots qui me donnait le monde sans l'écrire : l'anglais, un anglais mécanique qui m'était devenu une seconde peau, un anglais qui pensait sans moi : le lieu commun de l'anglais international. J'étais vacante. Le monde allait de soi, provisoire et léger. *Everything was smooth and easy.* J'avais le rôle facile de l'écrivain étranger. Comme dans tous les pays dotés d'une littérature, la critique locale me jouait contre les écrivains nationaux. *De l'air ! Du changement !*

Des gens extraordinairement nombreux faisaient la queue devant la Tate. Je levai la tête, la façade disparaissait sous une affiche : MIREN ZABAL, RECENT WORKS. *Marie Rivière,* chantonnai-je, *Marie Rivière, best young writer ever.* Dans moins de trois heures j'allais tomber sur mon frère, le mort, le petit Paul, mais je n'en étais pas encore là. Lentement, je dessaoulais. Objectivement il y avait trop de monde. Je n'avais pas le temps : il fallait attraper mon train.

À peine assise dans l'Eurostar je m'endormis. Je dormis tout le temps de la campagne anglaise, dans les petites vallées de cette nature bénigne. De temps en temps j'ouvrais un œil. Le wagon était vide, le paysage noir et vert clignotait. Un cahot me réveilla. Nous étions arrêtés dans le Tunnel. Le wagon était plongé dans l'ombre : quelques veilleuses seulement. Quelqu'un était assis à deux rangs de moi. Malgré la fraîcheur, il ne portait qu'une chemisette blanche, un pantalon de toile et des chaussures légères. Il était de dos, cheveux courts, nuque nette, penché sur l'écran d'un ordinateur portable. À côté de l'ordinateur, un gobelet de café.

Je savais que c'était mon frère. Est-ce que la mémoire se transmet de mère en fille, les imaginations de la mémoire ? Les rêves ? L'avait-elle même vu, sur ces journée de naissance et de mort, ou bien, comme cela se faisait à l'époque, l'avait-on éloigné d'elle, *pour qu'elle ne souffre pas* ? On s'attache vite à ces bêtes-là.

Mais nous étions dans un train sous la mer. Un long couloir, avec des rais de lumière électrique et des fenêtres sombres ; la Manche, avec ses poissons, ses poulpes, son plancton, sa masse d'eau noire ; et des cargos, des ferries, des chalutiers, qui croisaient, nous surplombant, traçant leurs routes sur nos têtes.

Je pris ma respiration. Les vitres étaient pailletées de reflets. Si je l'abordais par-derrière, comme nous étions placés, il risquait d'être surpris. Je m'agitai, fis du bruit, mais il n'eut aucune réaction. L'écran de son ordinateur virait au bleu dans la pénombre, avec ce qui semblait être des colonnes de chiffres. Est-ce que j'allais l'appeler ? L'appeler par son nom ? *Paul.* Une gorgée d'eau dans ma bouche. Un bref éclat de voix, à peine un nom, à peine le temps de l'invoquer. *Paul.*

Un frère pour moi c'était Pablo. Avec Pablo on avait eu un peu de temps.

Un carillon ponctua mes hésitations. Andrew, notre chef de cabine, nous informait que nous étions momentanément immobilisés dans le Tunnel. Le bar restait ouvert…

Le nom de mon frère m'échappa. Quel prénom avaient choisi mes parents, quel prénom avaient-ils choisi *en premier* ? Je ne l'avais jamais appelé, ce frère-là. Le nom ne s'était fait ni à ma bouche, ni à mes neurones. Il n'y avait qu'un blanc dans mon cerveau.

Des années plus tard, quand Tiot naîtrait, j'aurais, les premiers jours, la même hésitation. D'autres noms me viendraient sous la langue que son nom neuf, jamais porté. Et ce serait souvent « Pablo », Pablo sur le berceau de Tiot, Pablo l'enfant que jusqu'à Tiot j'avais le mieux connu. La fée Pablo, la petite fée penchée et bancale, dont un certain Paul, avant sa naissance et dans un autre pays, avait emporté la raison.

Est-ce que les vies tracent des lignes, déroulées comme des mètres rubans, en récits ? Ou font-elles des auréoles, buvards, calques et patchworks, cartes difficilement jointives, pliées et dépliées, éparses ?…

Ceux qui savent plier les cartes routières du premier coup sont des mutants, me dit souvent Diego. C'est à ça qu'on les reconnaît.

La lumière électrique revint dans le wagon et nous redémarrâmes. Nous n'étions pas au milieu de la mer. Nous étions tout au bord, sous la marche du continent, là où le tunnel surgit. Le jour jaillit dans le wagon et mon frère n'était plus là. À sa place, il n'y avait qu'un gobelet vide.

*

Quand ses parents avaient adopté Pablo, il avait reçu la nationalité française. Le Pays n'existait pas. Le pays était fait d'une zone au Nord, autour de B.Nord et de B. sur Mer, côté français ; d'une zone au Sud, autour de B.Sud et Polita, côté espagnol ; et d'un bloc Sud-Est, du côté de D.Est, qui serait sécessionniste à son tour quand le pays gagnerait l'indépendance.

Autrefois, dans un temps légendaire, le pays avait explosé et il était retombé sur lui-même en vrac, morceaux sur morceaux, villes sur villes, comme il avait pu. Un pays sans État fait comme il peut. Deux voisins puissants, dotés de langues impérialistes, se l'étaient partagé le long d'une frontière qui semblait naturelle : des montagnes plongeant vers la mer et un petit fleuve, percé d'une île, où Louis XIV avait épousé l'Infante d'Espagne. Il avait marché sur le pays et l'île était la trace de sa semelle.

Plus tard Franco mourut et ce qui avait été une cause internationale, la lutte antifasciste que menait le côté Sud, devenait du nationalisme local. Le jacobinisme français, la phobie espagnole du démembrement, et le terrorisme, firent que le Pays continuait à ne pas exister. Violence, torture, silence, mensonges. L'Islande existait. Nauru existait. Les pays baltes existaient. Malte existait. Le Liechtenstein existait. On laissait même la Suisse continuer à exister.

Plus tard, l'Europe avait ouvert ses frontières. On franchissait les montagnes sans montrer ses papiers, sauf aux barrages de police. L'ordinateur se répandait. B. sur Mer fut choisie comme site pilote en matière de téléphonie : chaque famille eut son Minitel puis son vidéophone. Le Sud eut son gouvernement autonome. Elle passait son bac. Pablo devenait fou. Les Maisons des Morts se créaient. Les Universités yuoanguies se développaient. L'autonomie grandit. La sonde Hubble prenait des photos d'Uranus. Elle étudiait à Bordeaux. Le pays devenait indépendant. La langue, sous perfusion, vivait. Elle s'installait à Paris. La littérature yuoanguie se complexifiait. Le pays rejoignait l'Europe. Elle écrivait des livres en français. Tiot naissait. D.Est hésitait entre l'autonomie avec les Espagnols et l'indépendance avec les Yuoanguis. Unama recevait le prix Nobel. Al-Qaeda faisait deux cents morts et mille quatre cents blessés à Madrid. Elle rentrait au pays. Elle était enceinte d'Épiphanie.

*

À notre retour de Tubarão, je me laissai glisser de nouveau vers la Maison des Morts. J'avais trente-six ans et échappé à la plupart des addictions. J'avais échappé à l'alcool, à la drogue, au jeu, à peu près au tabac, j'avais fait de l'écriture un métier plus qu'une maladie, et je me gardais presque de la dépendance affective. Mais je n'étais pas sûre d'échapper à mes frères.

Irrésistible était cet accès libre à la petite cabine rouge. Ma naissance au pays était un laissez-passer. Les riches Américains qui venaient y enterrer leurs morts payaient la concession une fortune, et devaient subir des tests psychologiques et des entretiens poussés. Peu d'élus, pour l'agrément. L'administration surveillait de près le respect des traditions locales, et les candidats étaient astreints à des cours de langue et de civilisation. Tout un tourisme funéraire s'était développé, qui rapportait d'importantes devises à l'État. Mais aux Yuoanguis de souche on ne demandait rien. L'accès aux morts était illimité.

J'entrais, on me donnait une cabine, je tapais mon nom, je rêvassais devant les hologrammes. Parfois, je venais pour dormir. La cabine était matelassée d'une épais isolant rouge. Il y régnait un silence de crypte, une douce chaleur hermétique. J'avais trouvé dans un magazine un beau bébé publicitaire. Je l'avais scanné et le programme me l'avait rendu dans un joli 3D, avec le profil et les gestes. C'était un bébé qui ne pleurait pas, qui n'avait jamais faim, et qui faisait ses nuits dès que je me déconnectais. Je lui fournis une tétine et des brassières pêchées sur Internet. Il tendait sa petite main, il tétait, il guettait. Je lui choisis une voix sur une banque de données, je précisai la couleur de sa peau, de ses yeux ; il sentait la fleur d'oranger. J'accélérai le programme de vieillissement, pour voir, mais le stoppai dès que la créature sut ramper et prononcer des sons différenciés. À huit ou dix mois on sait à qui on a affaire, à huit ou dix mois les bébés deviennent des enfants. Voir grandir l'enfant de la publicité ne m'apprenait rien. Je cherchais un bébé flou, incarné mais indécidable.

Je me mis à rêver sur sa naissance, sur l'accouchement. Je remontais à la source. J'imaginais une césarienne. À ma connaissance le ventre de ma mère ne portait aucune cicatrice, mais je ne comprenais cette disparition que précédée d'une apparition, abstraite, un globe qu'on fend en deux. Rien, mon frère, et puis rien. Moi la première et la seule, à surgir du sexe de ma mère.

Le vieil argot parisien nomme « pèlerinage aux sources » cette pratique au nom savant qu'est le cunnilingus.

*

Les marsupiaux ont un système de gestation extrêmement sophistiqué. La grossesse, l'accouchement et la maturation forment trois étapes distinctes. La femelle a toujours trois petits en train. La petite larve rougeaude qui sort de l'utérus n'est capable que de grimper le long des poils, s'accrochant à l'instinct, jusqu'à trouver l'entrée de la poche ventrale et se brancher sur un des deux tétons. Sa bouche est si immature que le réseau veineux des lèvres se fond avec celui de la mamelle. La créature grandit, se détache. Commence à sortir de la poche, à grignoter un peu d'herbe, replongeant au moindre danger. La deuxième tétine est occupée par une nouvelle petite larve, qui vient de naître. Toutes deux transportées, *dzoing dzoing*, par leur mère kangourou, qui est à

249

nouveau enceinte. Dans son utérus se développe un troisième petit, dont elle n'accouchera que si les conditions
sont propices. En cas de sécheresse, l'embryon se dis-
sout : rien, aucune trace.

*

Je bâtis peu à peu un hologramme qui ressemblait à celui de l'Eurostar. D'abord de dos, c'était
le plus facile, ce que j'avais vu dix ans auparavant : la chemisette blanche, le pantalon de toile
beige, les chaussures légères, la nuque nette, les
cheveux courts tirant sur le roux. Puis de face, un
personnage d'une trentaine d'années – je rajoutai
dix ans. L'ordinateur, sans instructions supplé-
mentaires, me proposa un quadragénaire qui avait
un air de famille. Les yeux de mon père, la bouche
masculinisée de ma mère, le nez de ma grand-
mère... je les recombinai, je cherchais quelqu'un
mais des monstres naissaient. Quand l'ordinateur,
dans son infinie patience, me fournit un hologramme de moi en homme, un pathétique travesti à
côté duquel Pablo lui-même gardait un certain sex-
appeal, découragée je me déconnectai.

À chacune de mes visites j'avais croisé de
bons endeuillés, des gens qui portaient sobrement

250

leur chagrin, un deuil bien fait ou en train de bien se faire. Ce n'étaient pas ces familles, qui laissaient traîner des disparus, des flous, des passés sous silence. Leurs descendants excellaient dans la mémoire, la mémoire familiale était une spécialité locale.

Les hologrammes en accès libre (j'en visitais souvent, dans le désœuvrement de ma cabine rouge) comptaient beaucoup de héros de la cause nationale ; un hologramme bien ficelé vous transforme n'importe quel mort en notable. Leurs endeuillés, petits et grands, se souvenaient d'eux avec une précision infernale, et les léguaient au pays via la technique moderne. On pouvait les visiter d'un clic en passant par la galerie des plaques, et fleurir virtuellement leur tombe. On pouvait aussi passer commande de vraies fleurs pour leur tombe physique (bien que de plus en plus de gens, au pays, se fassent incinérer).

Il y avait aussi la galerie des étrangers, ceux qui payaient, ceux qui venaient exprès. Tous les morts étrangers ou presque étaient en accès libre. L'immortalisation par hologramme était à la mode. De même que les habitants du boulevard Arago, dans le XIIIe arrondissement de Paris, sont ceux qui n'ont pas pu se payer le Ve, de même les étrangers qui se faisaient enterrer au pays étaient ceux – à ce qu'on racontait – qui n'avaient pu offrir à leurs cendres la satellisation sur orbite, dans ces capsules que commercialise désormais la NASA.

Mais la majorité des morts, toutefois, restait en accès réservé. Combien ne recevaient jamais de visite ? Combien d'hologrammes ne projetaient que du vide, ne diffusaient que du silence ? Leur évasive compagnie m'aurait fait du bien. On disait aussi que de plus en plus de gens précisaient par testament qu'ils ne voulaient pas d'hologramme ; qu'une urne ou une brave tombe suffirait. Il existait même, à ce qu'on racontait, un mouvement clandestin contre les Maisons des Morts, et une au moins avait été visée par un attentat.

Je menais une vie monacale, je ne rencontrais que l'institutrice et les commerçants, je ne connaissais que quelques mots de vieille langue et je lisais rarement le journal ; mais la rumeur me parvenait, par le porte-à-porte des prophètes, ou je ne sais comment, par le vent, par la mer, par les rêves.

Les Anglais furent horrifiés par les pratiques mortuaires hindouistes. Ils n'eurent de cesse de convaincre les Indiens d'enterrer leurs morts, comme des gens civilisés. Ils provoquèrent des émeutes en voulant fermer les ghâts, les plateformes crématoires de Bénarès, bâties en pleine ville, sur les rives du Gange. Mais les ghâts ne sont pas bâtis en pleine ville, expliquèrent les notables indiens. C'est Bénarès, qui s'est bâtie autour des ghâts.

*

Walid et elle avaient toujours joué à la plus belle ville, et ils continuaient, par téléphone. Ils étaient d'accord sur la nécessité, pour une ville, d'allier grandeur et eau, foules et culture. Est bled, pour Walid, toute ville où on ne se perd pas : les New-Yorkais, les Parisiens et les Londoniens se perdent à New York, Paris et Londres. New York cumulant mer, culture et ethnies, New York est la capitale du monde. Mais la Tamise et la Seine jouent aussi un rôle aquatique, d'irrigation visuelle, d'ampleur, de perspective. Walid misait sur Londres ; il aurait voulu jouer Beyrouth, mais sa ville natale était restée longtemps inhabitable. « Marseille ? » Walid balaie Marseille, on ne lui vendra pas Marseille pour Beyrouth.

Qu'est-ce que la province pour Walid ? Un endroit pas assez cosmique pour proposer tout l'univers. Une ville qui n'est pas un monde.

Elle n'ose même pas lui parler de la campagne, de la beauté des arbres, de la brume sur les collines, ni des mouvements d'Épiphanie.

Polita avec son front de mer, ses vieilles rues, sa taille relative, Polita, déprovincialisée, ferait une ville acceptable... si son récent statut de capitale la hissait hors de l'enfance des cités, et attirait les peuples, les arts... Mais Walid rigolerait. Comment un petit pays ne resterait-il pas un pays petit ?

Stockholm est minuscule, Copenhague et Amsterdam aussi. Hambourg, malgré le port, n'est pas si grande. Se perdre à Venise est une supercherie. Alger est inhabitable, Abidjan et Lagos aussi. Lima, aussi. Athènes est trop polluée. Istanbul, peut-être... Rio... Sydney est belle mais lointaine, belle comme San Francisco, dont on fait vite le tour. Vancouver est superbe mais vide. Buenos Aires, évidemment, est sans doute *la* ville, mais dans un tel éloignement de l'Europe, dans une telle nostalgie du monde, que la mélancolie est une maladie bénigne à côté de l'exil argentin.

Une structure étatique ne fonde pas une ville : Canberra est un trou, Washington un bled, Rabat n'en parlons pas. La population tokyoïte est trop peu mélangée. Shanghai pose un problème : il paraît que l'avenir s'y joue mais il faudrait parler chinois. À Los Angeles, où l'avenir se jouait dans les années quatre-vingt, le piéton est banni, et se perdre en voiture n'est pas vraiment se perdre.

Où habiter, voilà leur conversation préférée avec Walid. Quelle ville peut remplacer le monde, puisqu'on ne peut habiter le monde entier ? Eux, parmi les Terriens les mieux lotis, passeport, argent, santé, temps, ils ne lassent pas, Walid et elle, d'établir la liste raisonnée des villes.

*

Le soir, quand je rentrais de la Maison des Morts, Tiot voulait toujours jouer sur mon ordinateur. Il avait découvert, dans mes fichiers à l'abandon, un jeu à la musique entêtante, qu'il appelait « les petits bonshommes ». Nous nous asseyions côte à côte, la musique démarrait… avoir le droit de venir dans mon bureau était pour Tiot une joie au moins égale à l'amusement du jeu lui-même. Il se réservait mon fauteuil, j'avais réglé l'assise pour lui, il frôlait désormais le mètre ; et je restais, fascinée par son maniement de la souris autant que par les mouvements programmés des insectes. Verts, rouges, jaunes, bleus, c'était là le produit en images de mon usage du temps : ça, sur mon ordinateur, à la place du roman. Et Tiot, à petits clics, le consumait, mon temps, sous mes yeux, en affichant des scores de niveau 1, puis 2, que nous enregistrions pour la séance du lendemain.

Les règles du jeu m'échappaient un peu, des fourmis attaquaient, une sorte de punaise s'entêtait à faire trébucher le héros, le score chutait. *Bugdom*, ça s'appelait. Le niveau zéro du jeu vidéo. J'attendais le moment, peut-être aléatoire, où le scarabée mû par Tiot shootait dans la mauvaise noix, qui libérait, au lieu d'un champignon à dix points, un bourdon ennuyeux, pas vraiment prédateur mais parasite. Son rôle semblait se réduire à zonzonner tout près de la tête du héros, où qu'il aille, le vaillant petit scarabée, par monts et par vaux... Il me semblait que le concepteur de *Bugdom*, quelque part là-bas, en Californie, m'avait envoyé une image de mon destin, un bouclier d'Achille des jours passés et à venir, si je continuais à me laisser grignoter par mes frères, par mes petits bourdons.

Il suffisait pourtant que j'ouvre, au hasard, l'un des grands livres que j'avais emportés, pour que la pulsion d'écrire me soulève comme un treuil. Je n'écrivais pas parce qu'il m'arrivait des choses, j'écrivais parce que d'autres livres existaient, dans lesquels ces choses étaient écrites, les mêmes depuis toujours : la naissance et la mort, des humains et des nations, et les amours, la mer, les rêves. Certains écrivains ne lisent pas, craignant je ne sais quelle dépense, déperdition ou perte ; empêtrés dans leur unicité fantasmée ; alors qu'écrire n'a rien de personnel, écrire c'est faire partie de l'écriture. Les livres m'invitaient à continuer les livres, à chercher la nuance, le présent, à tenter l'écriture moderne. Et quand mes jours fondaient dans la Maison des Morts, quand tous les désirs s'éteignaient, mon bureau-bibliothèque, au retour, me requinquait un peu. Je m'allongeais par terre et je contemplais les livres. Leur présence amicale m'était une compagnie et me ramenait à ce désir, au moins celui-là : écrire, mon droit chemin.

V

Naissances

Elle était sous la mer. La plage devait être proche, le sol montait légèrement, et la surface oscillait à deux mètres au-dessus de sa tête. Il faisait un jour jaune et clair, un soleil plein de plancton. Le fond était sableux avec des blocs épars, des débris de falaise. L'iridium y brillait par petits éclats. D'autres rochers étaient recouverts d'algues qui se balançaient lentement, flux, reflux...

Tenir debout n'était pas évident. Peu à peu elle apprenait à anticiper. C'était comme si une grande main la poussait calmement dans le dos, puis la tirait en arrière. Elle marchait, évitant les rochers. Le sable s'immisçait entre ses orteils, elle peinait à décoller les pieds ; une plie démarra, exactement de la couleur du sable, elle eut le temps de sentir sous ses pas son mouvement musculeux. Trois poulpes nageaient, ouverts, fermés ; la frôlant, doux comme du velours. Elle respirait paisiblement dans le mouvement de l'eau. L'eau montait, sa cage thoracique s'ouvrait ; l'eau pesait, sa cage thoracique se fermait. Les vagues à l'envers soulevaient la surface de la mer comme un drap et l'enroulaient. Son père lui donnait la permission, petite, de rester dans la voiture au lavage : elle fermait les fenêtres, et les gros rouleaux passaient sur le pare-brise, elle voyait l'écume par-dessous.

Le plus difficile était de tenir en équilibre avec le panier de linge. Elle l'avait d'abord calé sur une hanche, mais cela la déséquilibrait de côté ; elle le tenait maintenant à bout de bras sur son ventre, l'eau ôtait une bonne partie du poids. Les fils à linge étaient tendus au milieu d'une sorte de plaine, toute de sable, sans rochers. La profondeur avait augmenté, elle avait du mal à rester au fond, ses pieds se soulevaient comme sur la Lune dès qu'elle y mettait trop d'énergie.

Elle déplia un premier drap, blanc et propre ; elle ne pouvait pas le secouer comme on fait à la surface ; elle était obligée de l'ouvrir pli par pli, coinçant des bouts entre ses jambes. Le drap se plaquait sur son corps ou au contraire s'éloignait d'elle. Il flottait maintenant, largement ouvert au bout de ses mains et porté par le courant.

Elle prit une pince dans sa poche, accrocha un coin puis, mi-nageant mi-marchant, réussit à accrocher l'autre. Petit à petit, elle parvint à étendre tout le panier. Les draps se balançaient ensemble ; ils découpaient ce coin de mer, et des poissons argentés, tout simples, se faufilaient entre eux.

Elle avait bien travaillé. Il ne lui restait plus qu'à coucher tout ça sur le papier : comment les draps sèchent sous la mer ; comment leur blancheur capte les rayons de soleil ; comment le silence s'entend devant leur lent balancement ; et noter les questions que posent les plongeurs sous-marins, curieux de la famille qui vit ici.

*

J'avais faim. J'étais pleine, mais pleine d'une bouche qui réclamait ; pleine d'un autre corps avide de la nourriture qui passait par mon corps. Moi, Marie Rivière, pleine d'Épiphanie Herzl, je me déplaçais comme un bateau, proue en avant, en équilibre latéral.

Elle s'était installée sur mon côté gauche. Sa tête roulait dans mon pubis comme une boussole dans un tableau de bord. La sensation, à ce terme, était étrange mais agréable, un massage de la vessie par le haut. Les organes étaient touchés en des endroits que seule l'autopsie permet d'ordinaire : de l'intérieur, foie, rate, intestins, reins.

Le ventre des femmes enceintes n'est pas un globe rond ; c'est une poche asymétrique. Un flanc dur, l'autre clapotant, déformé par des bosses, pieds et mains, fesses et tête. Le bébé d'un côté, ses membres gigotant de l'autre ; un agneau dans un sac.

J'étais belle, d'une beauté de cariatide. Je portais ma charge non sur la tête mais sur le ventre, accrochée à la taille et bien tenue aux reins. Un Atlas qui aurait le monde sous les seins. Je me fardais dans mon miroir, le Théâtre municipal de B. Nord nous avait invités à la première d'*Antigone* en vieille langue.

L'accès de nostalgie, je l'ai eu à ce moment-là, devant le miroir de ma salle de bains ; l'accès de nostalgie pour Paris. Théâtres, cinémas, musées, concerts. Le guide des spectacles, épais comme le bottin yuoangui. Et les ponts, les églises, les fontaines, les places. Dans les parcs au mois de mars, l'air frais qui paraît tiède après l'hiver ; à chaque pas un voile se soulève sur une nouvelle épaisseur, une lumière inédite, un angle qu'on n'avait jamais vu. Jonquilles, statues, plates-bandes. Canards posés sous les lilas. Marcher, et la douceur sur le visage, l'air dans les mains ; la ville à portée de pas, proche derrière les grilles, un instant reculée. Un jardin français, un jardin anglais, un jardin andalou, un jardin japonais. Heureuse et seule dans le ravissement du monde à Paris. Sortir, s'arrêter dans un resto chinois mélancolique. Champignons à forme d'algue. Personne. Un chien couché en travers de la porte. Un chat à la patte levée. Une petite fille à une table, qui fait ses devoirs. La télé en sourdine. On est à Paris. Il est deux heures de l'après-midi au mois de mars. Dans la théière, gonflent les feuilles.

Je me fardais dans mon miroir et la nostalgie de Paris me coupait en deux. Barjavel invente un voyageur dans le temps, éventré comme un poulet à cause d'un accroc de son scaphandre hermétique : on ne peut pas être hier et aujourd'hui, ici et là-bas en même temps. Un renversement s'inaugurait : Paris devenait là-bas. Le sentiment de l'exil est un poids d'abord léger, puis la balance penche, l'axe de la géographie s'incline… le Pays, Paris ; Paris, le Pays : le point d'exil basculait. Je me fardais dans le miroir, je fardais la femme devant moi, du blush à ses pommettes, du khôl sous ses cils, du mascara à gauche, du mascara à droite.

*

265

Il existe des cigales dont les larves demeurent dix-sept ans sous la terre. Elles sucent la sève des arbres. Un jour de printemps, il pleut, la terre devient molle : *Magicicada septendecim*, *Magicicada cassini* et *Magicicada septendecula* creusent des galeries vers le haut et émergent, par milliards. Elles grimpent sur tout ce qu'elles trouvent, brins d'herbe, tiges, poteaux, réverbères, arbres, murs… elles ont besoin de deux heures à l'air libre pour se métamorphoser. Leur exosquelette se fend par le milieu et elles s'en extraient, blanches et molles. Elles sèchent, prennent une couleur de feuille puis migrent vers les arbres. Les mues délaissées tombent, on dirait la pluie, elles crissent en amas sous les pas.

Tous les dix-sept ans, certaines villes à climat doux et humide sont ainsi envahies. Les cigales sont inoffensives, mais nombreuses. Le gazon est vivant, on marche sur les ailes, il y a six pattes et deux antennes pour un brin d'herbe. Les chiens et les chats en raffolent, ils s'en écœurent et dorment au milieu des trottoirs, gavés, vaincus par la masse.

Il faut imaginer la vie des larves sous la terre. Dix-sept ans. Dans la terre des villes, autour de chaque arbre, les réseaux de galeries entourant les racines. Les larves se transforment cinq fois avant de devenir adultes, jusqu'à ce moment, sur un brin de quelque chose, où elles sèchent nues, en nombre infini mais pour quelques jours seulement, les quelques jours de printemps de leur naissance diluvienne.

*

Pour qui enterre-t-on les morts? Pas pour les morts, ils sont morts. Pour éviter au pays la contagion, la pestilence? Pour dire qu'ici est notre sol, comme les villes qui se bâtissent autour des ossements des saints? Ou pour que les vivants, en procession, se reconnaissent entre eux? Antigone réclame une tombe pour son frère Polynice, et c'est elle qui sera emmurée vivante. Ô bazar, ô tragédie : une vivante chez les morts, un frère enterré et l'autre exposé aux portes de la ville, un oncle roi et un fiancé fou, une cité sens dessus dessous.

J'aurais peut-être eu besoin d'une sœur, pour compléter le tableau. Ismène n'est d'aucune utilité à Antigone, mais au moins a-t-elle quelqu'un à engueuler.

L'auteur de la pièce, un certain Lokarri, s'était inspiré à la fois de Sophocle et d'Anouilh. Toute honte bue nous avions demandé des écouteurs pour la traduction, mais de toute façon mon mari perdait rapidement le fil. J'avais beau lui raconter, par-dessus les *chut* des voisins, Polynice et Étéocle, le père Œdipe et l'oncle Créon, il n'avait d'yeux que pour Hémon, le fiancé Hémon, le seul à ne pas être en toge et à porter, Dieu sait pourquoi, un slip léopard, un arc et des flèches, et dont chaque apparition provoquait son fou rire grandissant. Nous étions au milieu du parterre, très bien placés, entre ma mère et Unama, pas loin du président de la République. « C'est un rôle injouable » chuchotais-je suppliante à l'oreille de mon mari, « Hémon a toujours été injouable », mais rien n'y faisait, l'hilarité de Diego prenait des proportions incontrôlables.

J'avais pris beaucoup de plaisir à m'habiller pour cette soirée de gala, à mouler mon ventre et mes seins dans de la soie rouge – mes seins prodigieux, mes seins historiques, il faudrait une nouvelle grossesse pour en avoir d'aussi beaux ; j'avais pris beaucoup de plaisir à recevoir cette invitation, le pays prenait acte de ma présence, et j'avais passé deux heures dans ma salle de bains à farder la notable en moi ; mais quand Hémon, traversant la scène, s'écria « Antigone ! Au secours ! » dans une envolée léopard, sous les rugissements de rire de mon mari il nous fallut quitter la salle.

*

La légende, en Islande, veut que chacun ait son double. Le double est celui qui vous accompagne, cette ombre que vous voyez bondir derrière un rocher, cet être inquiétant et familier qui se retourne et vous attend. Le double est comme le fantôme : il fait nombre. « Double », en islandais, se dit *fylgja*, qui est aussi le mot pour « placenta ».

Le placenta est le seul organe jetable. Il pousse dans l'utérus au rythme de l'enfant. À la naissance, on garde l'enfant et on jette le placenta. Il s'agit de ne pas se tromper. Le placenta est une usine chimique, un transformateur d'énergie, d'oxygène et de nutriments. Contrairement à une légende tenace, l'enfant n'est pas ombilicalement lié à la mère ; le cordon est attaché au placenta, et le placenta à la paroi de l'utérus : c'est une interface entre la mère et l'enfant. Le sang de la mère et celui de l'enfant circulent bord à bord, échangent leur flux par capillarité ; mais ne se mélangent pas.

Après la délivrance, le placenta vit sa vie dans les industries pharmaceutique et cosmétique, dans les aliments pour vaches ou dans les incinérateurs d'hôpitaux. L'obstétricien vérifie que le placenta est complet ; il le passe en revue alvéole par alvéole, on dirait un foie, ou un gros steak très rouge. *Placenta*, en latin, veut dire gâteau. S'il en manque un bout, l'obstétricien, d'une main experte, explore l'intérieur de l'utérus. La révision

269

mari. Le mariage est ta structure, ta clôture, ton lieu. » Il était jaloux, c'est tout.

Tiot avait les joues rouges sous son bonnet. Je l'emmenais jusqu'à mon aire de pique-nique, et le pays sous le ciel bleu était à nous. Il y avait un Atlantique de ciel sur nos têtes et une Atlantique d'eau par-dessous. Quand le temps était au vent et à la pluie, le pays semblait fixe sous les nuages : les falaises et la lande tenaient bon, l'énorme masse du ciel défilait. Mais par ce temps sec, l'océan et le ciel étaient du pur espace, et c'est le pays alors qui semblait dériver. Il devenait une île à fond plat, qui nous emmenait au hasard, lentement, avec son chargement d'humains et de maisons, d'arbres et d'animaux.

– À ton avis, demandais-je à Diego, les comédiens qui ont besoin d'imaginer une vie à leur personnage hors scène, d'où ils viennent et où ils vont et ce qu'ils font avant et après le texte, sont-ils idiots ?

J'aimais le globe sur mon bureau et j'aimais ce promontoire sur la mer parce que j'avais besoin, souvent, de renouer avec la sidération comme un point d'origine de l'écriture. Se tenir debout sur la Terre, dans le cosmos et le néant : l'écriture et cette sidération c'était la même

271

chose, c'était constater notre présence face au vide, et là, comme on pouvait, penser.

J'avais fait une dernière échographie, avec Diego. Tout allait bien. Épiphanie était prête mais encore haut placée, rien ne pressait. Son petit cœur lancé comme une locomotive, son petit cœur confiant battrait et grandirait dans la poitrine d'une femme : le même pour les années et les années à venir, et ça commençait ici, dans mon ventre. J'aimais la constance, la détermination avec laquelle elle y logeait. Elle était là chez elle. Je la sentais forcir, bâiller et rêvasser. Ma belle sédentaire : ma fille.

J'étais volumineuse et lourde. Mon ventre se casait mal dans la voiture, je reculais le siège au maximum mais le volant coinçait et mes pieds ne touchaient plus les pédales. Il faudrait bientôt rester à la maison. Mes frères se débrouilleraient, chacun dans leurs limbes. Je leur abandonnais leur territoire et je devenais une grotte, où Épiphanie tête en bas guettait le jour.

*

Diego, jeune, avait été pris dans une avalanche alors qu'il essayait un surf des neiges dans les Andes. Le

272

bruit d'explosion, le débordement – puis tout est blanc et s'enroule. Poudre fine et froide au lieu d'air. Corps en tous sens. Où est le haut, où est le bas, on ne sait plus.

« Nager », s'obstinait-il. Remuer bras et jambes, tenir l'apnée, lutter contre la gangue et se débattre encore quand le flot s'arrête, pour créer une bulle d'air… Par hasard, par chance, par sang-froid, il était toujours vivant. Une de ses chevilles lui envoyait, de très loin, des décharges de douleur. Mais son torse était libre pour respirer un peu, et surtout, une de ses mains était à lui. Il la glissa jusqu'à son nez et tassa un dôme à quelques centimètres de son visage.

Elle ne se lassait pas de cette histoire. Comment visualiser ce qu'il avait vu ? Comment sentir la position de son corps, comment se mettre dans ce corps-là et connaître son expérience ?

Il pouvait tourner la tête à droite, vers sa main libre ; à force, grattant et se contorsionnant, il dégagea son bras et de tous ses muscles opéra une rotation, en achevant de se briser la cheville. Mais la douleur restait loin. Le froid peut-être, et l'urgence. La neige fondait à la chaleur de son corps puis prenait comme du ciment.

Personne ne sait rien de l'intérieur des avalanches. Diego regrettait de ne pas s'être documenté davantage sur la marche à suivre ; il devait exister des méthodes, des protocoles. Ainsi pense Diego sur toutes les situations de la vie. Il sait désormais qu'il faut faire le mort, visage contre terre, devant un gorille furieux; et qu'en cas de sables mouvants il faut s'étendre à plat, le plus largement possible, sur un vêtement grand ouvert. Mais dans son avalanche, il ne savait rien.

Les quelques litres d'air qu'il avait réussi à capturer se chargeaient de CO_2. Essoufflé, la tête lourde, il cherchait un outil, quelque chose d'accessible sur le petit quart de corps qui était à sa portée. Le col de son coupe-vent était gansé de quelque chose, il mordit et arracha; c'était un câble de plastique. Il l'enfonça dans le dôme dur. Il n'était pas sûr d'aller vers le haut, vers l'air; aussi bien partait-il en oblique; désorienté au point que la pesanteur ne lui était plus une évidence. Il lui semblait que ses jambes étaient emmêlées au-dessus de lui et qu'il avait plutôt la tête en bas, mais il n'en était pas sûr.

La lueur bizarre, autour de lui, lui laissait espérer que la neige était peu épaisse; une lumière nacrée comme l'intérieur d'un coquillage; et un froid étrange, étouffant et ruisselant. Il lui sembla que le câble rencontrait une densité plus légère, il fallait moins forcer; il crut sentir tout à coup qu'on l'aidait.

Il se réveilla seul sur la neige.

Il pensait souvent, disait-il, à l'ouvrier ou l'ouvrière, à l'enfant peut-être, qui au Bangladesh avait fabriqué son coupe-vent. Longtemps il conserva le précieux câble à son poignet, avec les gris-gris, tresses et bracelets dont les surfeurs s'encombrent. Quand il s'en débarrassa, à la naissance de Tiot, elle en fut soulagée, comme si l'adolescence de son mari était enfin derrière eux.

*

Je pris encore une fois la voiture. J'avais la sensation d'une chose à dire à mes parents, ou qu'eux auraient eu à me dire ; la sensation, comme un goût sur la langue ou un nœud dans la nuque. Mais rien ne venait, et il n'y avait peut-être aucun mot à trouver.

Tiot allait sur trois ans et ses personnages préférés étaient une tribu de *Fimbles*, une série de la BBC. Les *Fimbles* inventaient des mots secrets et se les répétaient en riant. *Meueuh* disait Tiot, c'était le secret du moment.

Mon père était assis sur les marches de sa caravane, dans la chaleur des premiers beaux jours. Peut-être arrivait-t-il à cet âge où voir pointer les feuilles signifie : vivre encore un printemps ? Je m'étais imaginé que mes parents, quittant le pays, avaient fui les troubles d'avant l'Indépendance ; mais ils cherchaient simplement des traitements pour Pablo. J'avais cru mon père racketté par l'impôt révolutionnaire ; mais il avait perdu sa fonderie au jeu. Les éléments de notre vie formaient un mobile dont je ne voyais pas l'armature, et planaient, épars, pendant que nous glissions de l'un à l'autre.

Le mot « joueur », d'ailleurs, ne faisait qu'étiqueter mon père d'une breloque psychologique. Mon père, le roi de B.Nord. La vérité, sa ruine, n'avait pas fondu sur moi comme la foudre ; le ciel ne s'était pas déchiré. Ce fut plutôt une lente imprégnation, comme si les arbres, les maisons, les vagues savaient. La rumeur de B.Nord, le bruit que rendait le pays.

Désormais il était là, posé sur les marches, recueilli et ignoré par son ex-femme devenue millionnaire. Elle n'en tirait pas gloire, il n'en concevait pas de dépit. C'était leur façon à eux d'être rentrés au pays. Comme si le pays avait changé d'axe, d'un roi à une reine, mais en restant petit, un petit pays. On ne vient pas que d'un père et d'une mère, on ne vient pas que d'un seul lieu.

Mon père s'était confit dans une posture de vieux Sioux, mais, à la réflexion, on pouvait aussi lui trouver une ressemblance avec un singe bonobo – du moins avec les quelques spécimens que j'avais vus à la télévision. Et si l'on acceptait l'idée qu'un bonobo puisse passer ses journées à fumer, accroupi sur les marches de sa caravane, il y avait dans les yeux de mon père la même attention plissée, la même défiance amusée, que celle du vieux singe conscient de l'extinction programmée de l'espèce, qui voit venir vers lui, dans sa forêt natale, le progrès et les complications sous la forme de sa maigre progéniture, tout aussi incapable que lui de sauver son prochain.

Mon père bonobo détourna le regard, oscilla des hanches, s'accroupit, s'empara d'un bout de bois et l'ausculta. Puis il parut découvrir qu'il pouvait creuser le sol avec. Car les bonobos ont l'usage de l'outil.

Je ne trouvai rien à dire.

Ce qui manquait à mon père de la façon la plus apparente, c'était l'argent. Ma mère l'entretenait pour le chauffage, la nourriture et le tabac. S'il avait voulu s'offrir des chaussures neuves, un appartement normal ou des cours de deltaplane, elle aurait volontiers payé. Non : mon père manquait d'argent comme d'une substance dont il était privé ; il en manquait comme l'héroïne manque à l'héroïnomane, l'alcool à l'alcoolique et l'oxygène aux astronautes éjectés de leur module. Je lui aurais glissé vingt euros dans la patte, il aurait sorti un costume, ciré ses chaussures, peigné ses cheveux blancs, il aurait fait du stop jusqu'au casino et à supposer qu'il déjoue – depuis le temps – l'attention du physionomiste, il aurait misé le billet sur un de ses chiffres fétiches. Un grand frisson à vingt euros. Ou bien il aurait trouvé une table de poker à l'arrière d'un bistrot, ou trois dés et un gus à un comptoir.

On lui aurait donné un million ? Le million sur le tapis vert, à toucher du doigt le néant. Mon père, l'ancien roi de B.Nord. Il y avait bien longtemps qu'il avait abandonné l'idée de se refaire. La substance ne payait rien. Elle ne venait en échange de rien, elle ne participait d'aucune économie. La substance ne servait même plus à obtenir davantage de substance. Elle existait en pure perte. C'était sa dimension.

Tous les événements de la vie de mon père étaient venus le confirmer dans cette absolue soustraction. Il s'était agité, il était devenu père, il avait essayé des choses. Le sol s'était dérobé sous ses pas. Il était devenu un homme en moins, un homme manquant.

Pourtant il se tenait, pour un vieux singe. Il produisait l'effort de faire un tour de piste :

– Comment ça va ?

Je fis ma petite révérence :
– La vie est une rivière.

*

Un jour, c'était avant Pablo (mais bien après Paul), elle devait avoir six ans, son père résolut de prendre une après-midi et de lui donner une éducation. Une surprise, lui dit-il en la faisant grimper dans sa Saab coupée noire, la seule, à l'époque, à circuler dans le pays. Elle pensa d'abord à une glace, mais ils ne prenaient pas le chemin de B. sur Mer ; puis à une séance de cinéma, mais ils avaient dépassé B.Nord. Ils longeaient le fleuve : appontements, grues, conserveries et petites fabriques. Et puis la fonderie de son père, ou plutôt de son père à lui. Juste après commençait le fleuve bucolique, îles de roseaux à marée haute, longues plages à marée basse. Pas de pont avant des kilomètres. La fonderie de son père marquait la limite de la ville, de l'industrie et du travail. Elle ignorait encore que les casinos de B. sur Mer étaient l'autre pôle de sa planète.

Ses costumes étaient criblés de petits points noirs, et il portait sur lui une odeur âcre, qu'elle retrouva plus tard au métro parisien ; l'odeur métallique d'un siècle industriel, progrès, labeur et classes sociales (si les casinos avaient une odeur, elle était incapable de la repérer). L'odeur montait le long du fleuve à mesure qu'approchait la fonderie. Le jour de la surprise, elle se referma sur elle, grille franchie, cheminée sur la tête.

De bien des endroits du Nord son père était capable de savoir si l'usine fonctionnait. Maintenant ce sont les cheminées de C. Ouest – mais à l'époque, c'était la volonté de son père, qui fumait constamment au-dessus du pays ; le héros qui travaillait en permanence, qui veillait nuit et jour à maintenir la coulée.

Le jour de la surprise elle comprit l'origine des petits points noirs sur ses costumes. C'étaient des trous d'incandescence. Il avançait dans les jaillissements d'étincelles. Tout le monde était en bleu de travail ; sauf lui.

La surprise, c'était d'aller là où ça se passait vraiment, au cœur de la fonderie, sur la coulée ; pas seulement dans les bureaux. Des panneaux ordonnaient le port des chaussures coquées, du casque et des lunettes de sécurité ; mais elle et lui n'étaient pas concernés. Il avançait glorieux parmi les étincelles ; dans les passages difficiles, il la portait.

Rails et ponts roulants ; partout de la ferraille, une pelote dans laquelle le souvenir se déplace ; et de hautes palettes de capots, la production : des isolants pour la ligne à haute tension qui avançait à travers le pays.

Ils étaient entrés dans une gueule chaude, noire, rouge. Le bruit était tel que même dans les bras de son père elle entendait mal ses explications. Et chaque jaillissement de flammes, chaque porte de four ouverte, mettait un voile lumineux devant ses yeux.

Elle distinguait des ombres ; toutes saluaient son père. Une grosse machine pondait des capots, *ploc, ploc*, sur un tapis roulant. *Si elle s'arrêtait on perdrait, en un jour, tout l'argent des salaires du mois.*

Autour de la machine s'agitaient des ouvriers. Avec de longues perches ils surveillaient les œufs. Son père – sur le moment elle le comprit ainsi – l'avait amenée là pour lui enseigner le respect. Le respect c'était voir travailler les ouvriers et leur manifester de la gentillesse.

Dans les bras de son père, elle surmontait sa peur et saluait avec courage. Tous la trouvaient mignonne et souriaient sous leurs lunettes.

Beaucoup plus tard elle ferait un rêve où des ouvriers occupés à colmater, de toute urgence, des trous dans le temps, porteraient les mêmes lunettes et les mêmes casques, qui ne les protégeaient pas contre un vieillissement fatal, une désorganisation monstrueuse des organes.

Elle se rappelle le sol de sable noir, volcanique ; une limaille qui volait jusqu'au nez. Et une hauteur de cathédrale, sans fenêtres, saturée ; l'air était dense, le vacarme usait l'air et le pulvérisait dans la bouche et les yeux.

La coulée jaillissait, très blanche. Des flammes jaunes couraient à sa surface. Une rivière de fonte canalisée, rapide, puis un peu plus lente, rouge et se craquelant.

Deux ouvriers en combinaison blanche guidaient le flux avec des gestes de croupiers. L'analogie, bien sûr, elle l'a forgée plus tard; plaques de temps superposées. Le grand patron gentil, grand pour le pays, gentil pour les ouvriers, qui posait sur les tapis verts les capots fumants.

Quand elle comprit, par la suite, que son univers tournait autour d'une roulette, elle eut tendance à tout rabattre sur le jeu, à y voir une clé; mais le jeu expliquait aussi mal son père que ses adjectifs enfantins ou que le mot « patron ».

Ce jour-là, le jour de la surprise, un de ses ouvriers partait à la retraite. Ils allèrent le chercher à son poste – lui aussi avait sa surprise : un pot de départ.

Le type lui parut très vieux. Son visage avait la couleur du bain de zinc sur lequel il était penché. 600 °C : c'était, depuis, une chose qu'elle savait, la température relativement basse à laquelle fond le zinc, et le sens littéral du verbe « galvaniser ». Le zinc qui n'avait l'air de rien, une crème jaune sous une surface grisée, mais *trempe un doigt dedans et il disparaît*.

Les capots avançaient sur une crémaillère; le type, avec un crochet, les attrapait un par un, les plongeait dans le bain et les suspendait de nouveau. On aurait dit qu'il manquait un relais mécanique à cette chaîne rudimentaire, et que ce relais, cette pièce manquante, c'était lui, faute de mieux, l'ouvrier.

Son père fit un discours au-dessus d'un vin pétillant. Une bonne centaine de fois par heure, cinq jours sur sept depuis l'âge de quatorze ans, cet ouvrier avait fait le même geste. *Je vous laisse calculer*, dit son père. *Une retraite bien méritée*, ajouta-t-il en la regardant, et tout le monde applaudit.

Elle ne comprit pas tout de suite que le seul message qu'il avait à lui transmettre aurait pu tenir en trois mots sur une gaufrette surprise : *ne travaille jamais*, au sens où le mot « travail » résonnait dans cette usine.

*

Ma mère était sur les finitions d'un bronze, qu'elle polissait avec différents grains de papier. Je calai mon ventre dans un fauteuil et je compris en la voyant faire que me manquait un aspect purement manuel de l'écriture, une étape du travail qui aurait pu se faire l'esprit ailleurs. À peu près comme on conduit une voiture, ou comme, parfois, on fait l'amour, en rêvassant, jusqu'à ce que l'orgasme ou le sommeil vous prennent. Je pouvais, en écrivant, à la rigueur surveiller la cuisson d'un poulet ou moucher le nez de Tiot ; mais depuis l'invention du traitement de texte, les écrivains ne recopient plus leurs manuscrits pendant des

heures, ne vérifient plus longuement leurs épreuves ; ils ne peuvent plus travailler mécaniquement. Toutes les étapes sont de création ; à neuf, à vide. J'enviais ma mère, qui polissait en bavardant.

Bien sûr ma mère avait créé quelque chose qui n'existait pas avant elle ; elle avait pensé, imaginé, structuré et effectué, selon ses techniques, longuement mises au point. Mais pour finir, elle n'avait plus qu'à déployer un jeu de différents papiers de verre, qu'elle tirait comme une cartomancienne rêveuse. Depuis des jours ou des semaines – depuis des années – le corps de ma mère était habité par cette forme-ci, que la pulpe des doigts achevait. Pourtant ma mère restait présente. C'est sciemment qu'elle voulait des traces, qu'elle rayait le bronze, utilisait un trop gros grain. On avait envie de l'arrêter :

– Tu vas tout gâcher.

Elle aurait souri, forte de son savoir : elle seule qui pouvait achever cette forme. Polissant et bavardant, elle me regardait dans le vague :

– Qu'est-ce que tu vas faire, maintenant ?

Et elle polissait très fort les ailes d'un nez, s'il s'agissait d'un nez, au point qu'elle aurait pu le faire disparaître et qu'on avait envie de dire quelque chose :

– Tu vas tout gâcher.

Mais bien sûr on ne disait rien. Turner parvenait à des paysages parfaits, dans le goût de l'époque : la Tamise et les bateaux sous les Maisons du Parlement. Puis il enduisait le tableau d'une sorte de cire de sa composition. La Tamise se diluait, gluante, la brume bavait ; ça devenait Turner. Une gélatine de temps, de la vitesse arrêtée net. Les témoins en étaient pétrifiés.

Il ne restait quasiment plus de nez. Le visage, si c'était un visage, était celui d'un grand brûlé, sans lèvres, sans sourcils, effacé, abîmé de toutes parts. Et pourtant quelqu'un était là. Ma mère avait réussi à attraper une présence organique et mentale. Un intérieur humain, dans ce bronze debout qui marchait seul dans l'atelier.

Tous les matins, une fois Tiot à l'école, j'ouvrais mon cahier et je contemplais la page vide. Ce n'était pas une page blanche puisque je savais quelle zone je voulais explorer. C'était une fuite d'énergie. L'énergie de l'écriture se diffusait, se perdait hors de moi dans d'autres directions. Et je me retrouvais dans ma voiture, loin du cahier, dans un dédale de routes et d'impasses.

Il m'aurait fallu un bronze à polir, une activité mécanique qui me tienne à la maison.

– Qu'est-ce que tu vas faire, maintenant ?

J'étais enceinte de neuf mois.

– Je vais rester à la maison.

Les mouvements de ses mains sur ce bronze me faisait le même effet que certaines phrases : un fourmillement dans tout le corps, un désir toutes affaires cessantes – écrire.

Ma mère croyait – du moins me le figurais-je – ma mère croyait à l'insuffisance du langage. Il y avait d'un côté la sphère des mots, de l'autre la sphère des choses. Leur adéquation était impossible. Puisque les mots n'étaient pas les choses, ils étaient nécessairement décevants et inaptes. À leur jointure, trop de sens fuyait.

Et mon père, lui, croyait qu'on peut se comprendre sans mots, à la manière des singes bonobos. En s'épouillant, peut-être, ou en se montrant le derrière. Mais je me trompe, sans doute, sur les bonobos : ce sont des singes civilisés.

Mais le monde n'était pas un secret de famille, le monde était là, déployé. Il suffisait d'oser le prendre, c'était simplement du travail, mon travail, qui ne laissait rien d'indicible.

Ma mère s'était mise à raboter le front, l'os semblait surgir. Les zébrures du papier de verre mettaient d'étranges cils aux orbites presque

vides, comme si du bronze liquide y demeurait :
un regard, tout à coup.

Nous fixâmes en silence le bonhomme maigre.
Bien sûr on pensait à Giacometti. Giacometti était
depuis soixante-dix ans derrière tout être humain
debout, de chair, de marbre ou de bronze, comme
une mémoire, un mémento de l'espèce.

– « L'Homme de l'Atlantide », dit ma mère.
Elle s'attaqua aux omoplates. Le bronze bougeait, instable, en faisant *dong dong.*

Le livre d'Unama que ma mère préfère est une
rêverie sur les origines atlantes du pays : tous les
Yuoanguis (les vrais) portent la cicatrice
d'anciennes ouïes derrière les oreilles. Année après
année Unama lui a dédicacé chacun de ses livres, à
ma mère, en vieille langue.

Notre ami Dong Dong nous regardait d'un air
savant. On aurait pu imaginer un roman où mon
vrai père aurait été Unama, etc. L'écriture comme
legs génétique, au même titre que les oreilles ;
l'anecdote comme ombilic.

Les Grecs situaient l'Atlantide au milieu de
l'océan, à mi-chemin des Açores et des Bermudes ;
sur ce que nous savons être aujourd'hui la courbe
du rift. Les plaques tectoniques se sont séparées,
séparées, et l'Atlantide s'est effondrée, la cité et les

287

corps ont disparu au fond des failles. Il est monté quelques bulles à la surface. Depuis, la lave s'est refermée, l'eau pèse sur les vestiges, les calmars géants ont repris leur ronde.

J'aurais pu rester là longtemps, dans la beauté de l'atelier, entre les mouvements des spectres et le petit bruit de ma mère au travail. Mais Épiphanie poussait et grossissait, comme les plantes, les rivières sous la pluie et les éléphanteaux. Le temps d'une femme enceinte de neuf mois est compté.

*

« Je préférerais qu'on m'arrache les dents à vif plutôt que d'accoucher à nouveau » lui avait confié Amona, familière des deux expériences. Tiot était né sous péridurale. On lui avait confié une petite pompe, et recommandé d'appuyer dès que ça devenait *désagréable*. La douleur seule était anesthésiée : elle avait senti Tiot descendre, passer et naître. Elle chérissait le monde moderne, sa petite pompe à la main.

Les arracheurs de dents étaient accompagnés d'un petit orchestre de cuivre, pour couvrir les cris.

Dans les maternités, il y a moins de trente ans, il était facile de localiser les salles de travail, à l'oreille.

« *Ça ne fait pas aussi mal qu'on le dit* » lui avait assuré une amie de Walid, sage-femme à Londres.

Dans la plupart des pays protestants, on n'utilise pas la péridurale. Il est bon de souffrir, personne ne sait pourquoi.

La douleur sépare la mère de l'enfant. La douleur fait prendre conscience à la mère de ce moment violent, la naissance. Ou la rend folle, psychotique d'être à ce point hors de soi.

Pour certaines féministes, la péridurale est une invention masculine pour nous priver d'une connaissance ultime.

Ne plus être là de douleur. Vouloir quitter ce corps, ce lieu inhabitable. Ne plus pouvoir y tenir, comment imaginer vivre encore la minute qui vient ?

Au début de sa courte cure, en 1926, Bataille reçut de son psychanalyste – Adrien Borel, qui joua pour Bresson dans le *Curé de Campagne* – une liasse de photos. C'étaient celles, rapportées de Pékin et circulant sous le manteau, du Supplice des Cent Morceaux. Un homme en croix, les yeux blancs, le visage dans une extase atroce, est lentement dépecé.

« *Il n'y en a plus que pour quelques heures* » avait-on dit à une amie française, dépersonnalisée de douleur, dans la routine d'une maternité de New York.

Ces Sud-Européennes sont des chochottes.

*

Pour le tout dernier trajet en voiture, Diego conduisait. Épiphanie nous intimait de nous presser, mais prudemment. Diego s'en tenait aux limitations de vitesse. Je voulais voler, mais tous deux avaient raison, j'étais prise dans leur infinie sagesse : un nouveau monde où un père et sa fille se tiendraient désormais à mes côtés.

Nous déposâmes Tiot chez ma mère. Il chantait dans son siège auto :

Entrez dans la danse
Voyez comme on danse

Et nous reprenions avec lui

Sautez dansez
Embrassez qui vous voudrez

Tiot, mon petit garçon, jetant des coups d'œil sous les sièges et demandant si le bébé était là, le bébé tant attendu, qu'il avait attendu près d'un tiers de sa vie – mais quand ma mère ouvrit la porte et lui parla de chocolat, il se précipita. Il avait trois ans.

Nous avions tous les trois un peu peur, Diego Épiphanie et moi. Nous parlions peu. Diego me jetait des coups d'œil souriants, il me caressait la nuque, et moi de temps en temps je lui pressais la main. Nous étions deux adultes affairés, une très petite fille modifiait le cours de nos vies, décidait de notre emploi du temps.

Je respirais. Mon ventre montait et se serrait, un seul grand muscle, une stupéfiante usine. Je respirais, pas ces idioties de halètement de petit chien ; je respirais comme un être humain, je prenais ce dont j'avais besoin. La voiture n'était pas assez grande pour ce qui s'y passait. Nous ouvrîmes les fenêtres. Le pays défilait, nous rejoignions C.Ouest par la Corniche, C.Ouest a la meilleure maternité de la côte. La marée était haute et la mer pesait contre la falaise, le pays craquait, le ciel se soulevait.

Je respirais, j'étais une montgolfière sous une tête aérienne, anxieuse et euphorique.

Entrez dans la danse
Voyez comme on danse
Sautez dansez
Embrassez qui vous voudrez

« Elle perd les eaux » constata la sage-femme, me désignant de cette universelle troisième personne des lieux où la médecine vous prend en charge. Elle m'emmenait vers la salle de travail, je précisai à Diego que cette jupe ne passait en machine qu'à 30°, il ne m'écoutait pas, or c'est lui qui s'occuperait du linge la semaine à venir – puis je réalisai que de toute façon, cette jupe dont le tour de taille devait frôler le mètre cinquante, je ne la remettrais pas tout de suite. L'eau très chaude baignait mes cuisses. La sage-femme me dit de m'allonger et l'eau se déversa, limpide, la forme en creux d'Épiphanie ; avec quelque chose de plus doux, de plus fluide, que l'eau des sources.

Ur est le premier mot. *Ur* en yuoangui veut dire eau. Helen Keller, dont toutes les petites filles lisent un jour l'édifiante histoire, Helen Keller sourde, aveugle et muette, sur la main de qui l'institutrice ne cesse de dessiner des lettres, Helen Keller comprend enfin : *W-a-t-e-r* écrit l'institutrice géniale en versant, sur l'autre main, de l'eau ; et le sens est un jaillissement.

La sage-femme me parlait en vieille langue et je la comprenais, depuis cinq bonnes minutes la vieille langue entrait dans mon cerveau et je la comprenais. Toute à mon affaire, toute à ma lessive, toute au roulement des contractions qui m'obligeaient à m'arrêter, à respirer, à souffler, j'entendais la vieille langue sans y penser. Je buvais la langue. Je nageais dedans. Ça se pensait tout seul. Ça ne se traduisait pas. Jusqu'à ce qu'une tache noire apparaisse – un papillon qui s'empêtrait, déchirait les maillages, entortillait les fils – j'avais raté un mot, puis deux, et le sens s'était débobiné.

« Encore une qui ne comprend rien » : je rattrapai le fil. C'était l'espéranto de tous les hôpitaux du monde, accouche et tais-toi, elle me mit une sonnette dans les mains, pour appeler.

*

On a besoin d'un coin, d'un peu de tranquillité.

Les reines de France accouchaient en public. Toute la cour était là, au spectacle de la légitimité. Il fallait être sûr que c'était bien du vagin réginal que sortirait le futur roi. La très digne Marie de Médicis, allongée au centre du banquet et sommée de rester souveraine jusque dans l'expulsion, pendant qu'autour d'elle ça bavarde, plaisante et festoie…

La reine, chez les insectes sociaux, est la femelle pondeuse. Elle travaille au centre de la fourmilière, ruche ou termitière. Lorsqu'elle donne naissance à une autre reine, un nouvel essaim se forme et déménage.

293

Les westerns montrent les squaws, lovées dans un coin de forêt, mordant dans une branche puis se relevant victorieuses et intactes, un bébé dans les bras.

Les adolescents à qui l'on projette, en cours d'éducation sexuelle, le film d'un accouchement, poussent tous, garçons et filles, des cris d'horreur et de dégoût.

Plutôt crever que de donner la vie, s'était-elle dit à Londres quelques années plus tôt, devant le triptyque de Bill Viola, beau et sobre, sur la naissance et l'agonie.

Elle avait lu quelque part le témoignage d'une Afghane qui avait accouché en plein soleil, allongée sur la terre, sans eau, dans la cohue d'un camp de réfugiés. *En plein soleil* répétait-elle, sans même un arbre pour abriter la venue du bébé.

Quatre enfants par seconde naissent dans le monde. Un être humain meurt chaque seconde et demie.

On estime que sur les cent trente millions d'enfants qui naissent chaque année, cinquante millions ne seront enregistrés sur aucun état civil. Onze millions meurent avant l'âge de cinq ans.

Aux dernières nouvelles, en 2003, la maternité de Groznyï était toujours en activité, sans électricité la plupart du temps, sans antibiotiques, avec une équipe locale bien formée et extrêmement motivée.

*

Nous ouvrîmes la porte du fond, Diego et moi, et la lueur rose-orange dansa. Le tour de lit la masquait dans l'angle ; nous nous décalâmes, et nous la vîmes. Elle nous apparaissait d'un coup, petite, entière, poings fermés de chaque côté de la tête, jambes en grenouille ; et son petit torse se soulevait sous le pyjama. Elle dormait. La lumière tombait sur le haut de sa tête. Elle était déposée là, tranquillement. Sous le front bombé se croisaient des veines qui dessinaient des signes, des formes, des lettres. Elle plissait les yeux dans son sommeil, puis se détendait ; un rêve passait, un souvenir. De la main il nous était facile de l'attraper et de souffler dessus, le rêve s'éparpillait vers d'autres chambres. Il y avait quelqu'un dans ce très petit corps, quelqu'un était venu ; si pliée et repliée encore, que nous pouvions la tenir dans nos deux mains ; mais qui se déploierait lentement hors de nous.

Nous lui avions trouvé cette maison pour abri. Le soleil se déplaçait, Diego tira le rideau. La lumière restait accrochée au sommet de sa tête dans le duvet clair. Épiphanie couronnée était là. Je manœuvrai mon grand corps et me penchai comme à un bastingage. La dernière fois, ce lit était vide, le drap bien tiré, prêt à recevoir un être prodigieux qui contiendrait toutes les possibilités d'Épiphanie ; et voici qu'un petit corps, clos des orteils au crâne, la contenait, la contenait parfaitement, ne la laissait pas s'égarer. Une peau unique s'était doucement refermée et la retenait désormais : elle, et personne d'autre. Elle, ici avec nous. Tout entière dans ces trois kilos, et nulle part ailleurs. Logée dans un corps qui avait tout ce qu'il fallait, dans un corps unique au monde. Épiphanie, qui s'était trouvé une forme ; Épiphanie, qui avait consenti à rassembler dans cette chair-ci (et aucune autre) le corps qui la faisait apparaître.

Le monde d'avant était un monde innocent, un monde défaillant, qui l'avait ignorée jusque-là : un cosmos incomplet. Comment le monde avait-il pu s'appeler *monde*, avant elle ?

*

Il existe désormais, dans beaucoup d'hôpitaux, des protocoles d'accompagnement de la douleur. Comment mesurer la souffrance de l'autre ? « J'ai mal à votre douleur » écrit Mme de Sévigné à sa fille.

On propose une réglette graduée de zéro à dix. « Combien avez-vous mal ? » Un enfant de trois ans est capable de manier le curseur. Paracétamol, Ibuprofène ou morphine sont dosés en écoutant.

« Croyez-vous aux fantômes ? » Il aurait fallu répondre de même, en termes d'échelle. Elle y croyait de zéro à dix, ça dépendait de l'angoisse et du chagrin, ça dépendait des moments et des pays, des livres et des gens, du jour ou de la nuit.

Les fantômes ne rôdent pas dans les limbes. Ils n'existent que dans la rencontre. Ils n'ont d'autre lieu que leur apparition. Quand ils disparaissent, c'est totalement. Ils n'ont pas de vie intérieure, ils n'ont pas de vie quelque part, ils n'ont ni psychologie ni mémoire. Ils ne souffrent pas. Ils naissent de notre hantise, qui les allume et les éteint, oscillants, pauvres chandelles. Ils ne sont que pour nous.

TABLE

Achevé d'imprimer en juin 2005
dans les ateliers de Normandie Roto Impression s.a.s.
à Lonrai (Orne)
N° d'éditeur : 1910
N° d'imprimeur : 05-1544
Dépôt légal : août 2005
Imprimé en France